초등국어
어휘력 향상을 위한
어휘왕

4-2

이룸이앤비
Education & Books

이 책을 펴내며

어휘력이 성장하는 빅뱅 시기, 초등 6년!

어느 언어학자의 연구 결과에 따르면,

학생들의 키는 보통 사춘기에 폭풍 성장하는데,

어휘력은 그보다 더 이른 초등 시기에 폭발적으로 늘어난다고 합니다.

보통 초등학교에 입학하기 전 아이들의 어휘력 수준은

약 5,000 단어를 아는 데 불과합니다.

그런데 **초등학교 6년의 과정을 거치면서 약 40,000 단어 이상을 습득하게 됩니다.**

초등 시기에 매년 6,000 단어 이상의 새로운 어휘를 습득하게 되는 셈입니다.

매우 놀라운 사실은 일반 사람들이 원만한 사회생활을 하는 데

필요한 어휘의 85%를 바로 초등 시기에 익히게 된다는 점입니다.

그래서 **초등학생 때를 "어휘의 빅뱅* 시기"**라고 부르기도 합니다.

(빅뱅이라는 말은 우주가 어느 날 폭발적으로 팽창하면서 커지게 되었다는 학설입니다.)

이러한 빅뱅 시기에 어휘 학습을 제대로 해 놓아야 그 효과를 톡톡히 볼 수 있겠지요?

혹여나 '어휘 학습은 그냥 국어 공부잖아, 다음에 봐서 학원에 보내면 되겠지.'

라고 생각하면 큰 오산입니다.

어휘의 빅뱅 시기를 너무 안일하게 생각하면 때는 늦습니다.

공부가 때가 있다는 말들을 하지요?

이는 뇌 구조상 쉽게 기억되고 받아들이는 때가 있다는 말입니다.

많은 양을 공부할 필요는 없습니다.

하루에 20~25개 정도의 어휘만 꾸준히 학습하면 됩니다.

'초등국어 어휘왕'은 바로 어휘의 빅뱅 시기를 맞이한 초등학생 여러분의 어휘력을

성장시켜 줄 좋은 친구가 될 것입니다.

초등국어 어휘왕의 특장점은?

1 교과서에 나오는 주요 어휘를 학습할 수 있습니다.

초등 교과서에만 약 3만 개가 넘는 어휘가 수록되어 있어요. 교과서는 학생에게 가장 유익하고 체계적인 학습 교재라는 점을 고려해 볼 때, 초등 교과서로 어휘 학습을 시작하는 것은 매우 합리적인 방법이라고 할 수 있습니다. '초등국어 어휘왕'은 초등학교 교과서에 수록된 어휘들을 단원별로 정리하여 문제로 제시하고 있어요.

2 적절한 분량으로 학습 스케줄을 짤 수 있습니다.

초등학생이 집중해서 학습할 수 있는 시간은 약 20~30분 정도예요. 너무 많은 양을 한꺼번에 학습하려다 보면 부담을 느낄 수 있어요. '초등국어 어휘왕'은 단원별 어휘들을 조금씩 꾸준히 학습할 수 있도록 학습 일차를 구분해 두었어요.

3 다양한 유형의 문제로 재미있게 어휘를 익힐 수 있습니다.

어휘를 단순히 암기하는 방식은 학습 효율 면에서 좋지 않습니다. '초등국어 어휘왕'은 문제를 통해 자연스럽게 어휘의 의미를 익힐 수 있도록 하였어요. 또한 반복되는 지루한 학습 패턴이 아닌, 여러 가지 다양한 유형을 통해 학습할 수 있도록 구성하고 있어요.

4 부모님이 자녀를 지도할 수 있는 자료로 활용할 수 있습니다.

풍부한 어휘력을 갖추려면, 꾸준한 학습과 노력이 뒤따라야 합니다. 학생이 꾸준하게 어휘를 공부할 수 있도록 하는 데에는 부모님의 역할이 매우 중요합니다. '초등국어 어휘왕'은 이러한 고민을 바탕으로, 다양한 놀이 형태의 문제들을 학생과 부모가 함께 해 나갈 수 있도록 만들었습니다. 부모님은 해설집을 통해 부분적으로 필요한 내용들을 지도 자료로 활용할 수 있습니다.

다양한 학습 요소

초등국어 어휘왕, 재밌고 다양한 문제로 공부해요.

1 새로운 어휘 학습

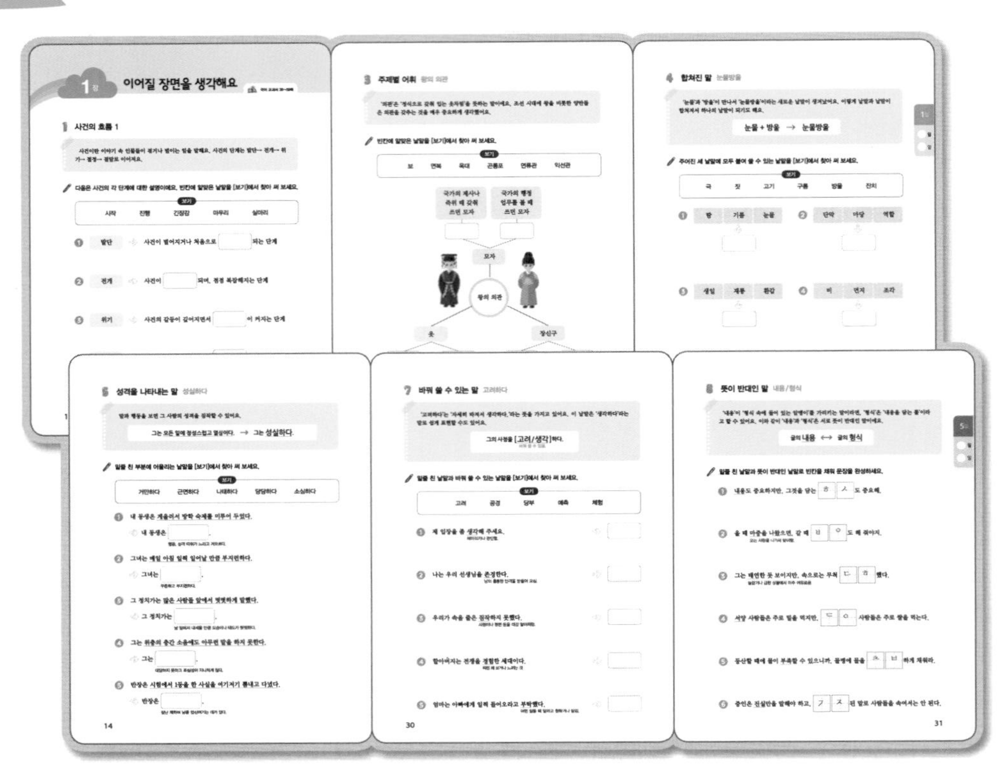

〈단원별 주요 어휘〉, 〈주제별 어휘〉, 〈합쳐진 말〉, 〈태도 · 동작을 나타내는 말〉, 〈꾸며 주는 말〉, 〈소리나 모양을 흉내 내는 말〉, 〈단위를 나타내는 말〉, 〈바꿔 쓸 수 있는 말〉, 〈뜻이 반대인 말〉 등의 새롭고 낯선 어휘들을 학습해 보세요.

2 기초 맞춤법

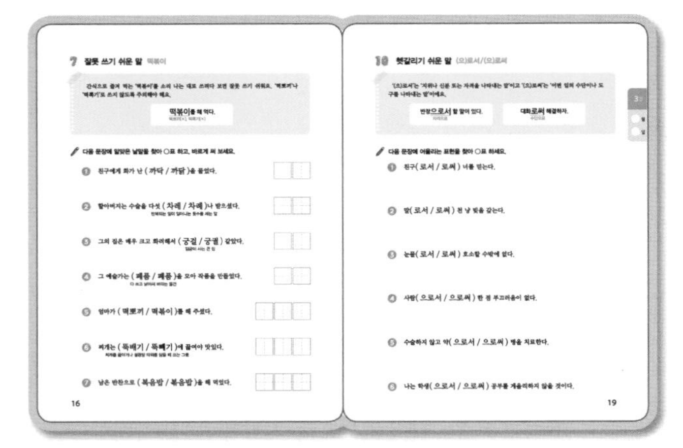

〈잘못 쓰기 쉬운 말〉, 〈헷갈리기 쉬운 말〉, 〈문장 부호〉 등의 맞춤법에 관련된 올바른 표현을 익혀 보세요.

3 띄어쓰기/원고지 쓰기

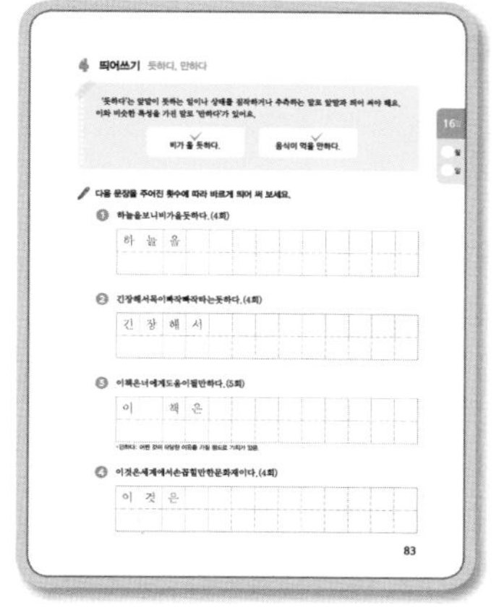

〈띄어쓰기〉를 포함하여 **〈원고지 쓰기〉** 등의 실제 글 쓰는 방식 등을 점검해 보세요.

4 올바른 발음

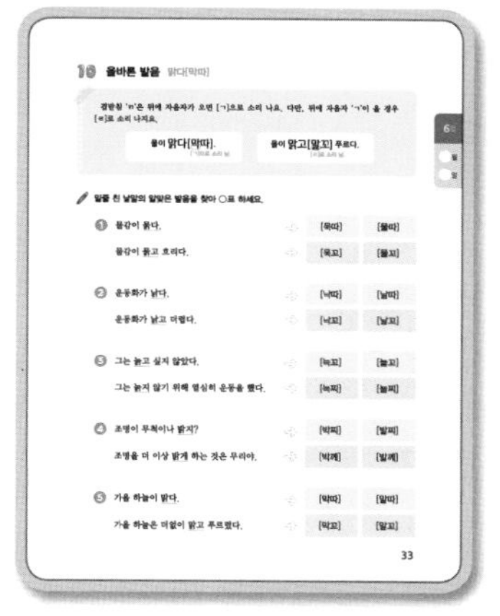

표준 발음법에 따른 **〈올바른 발음〉**에 대해 학습해 보세요.

5 문장 표현

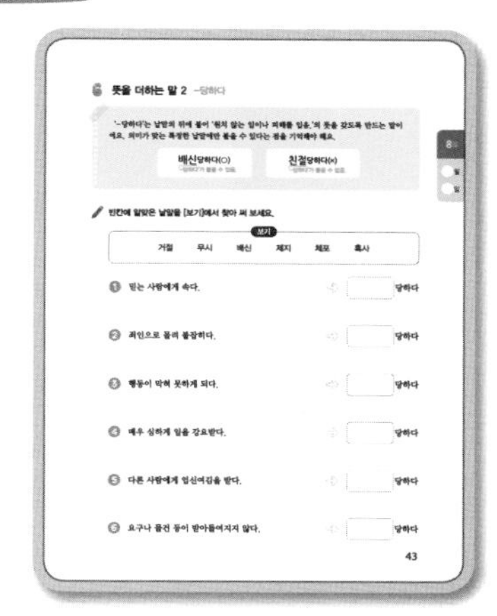

〈높임 표현〉, 〈시간 표현〉, 〈부정 표현〉, 〈행동을 하게 하는 말〉, 〈행동을 당하는 말〉 등 기초적인 문법 지식을 배워 보세요.

6 타교과 어휘

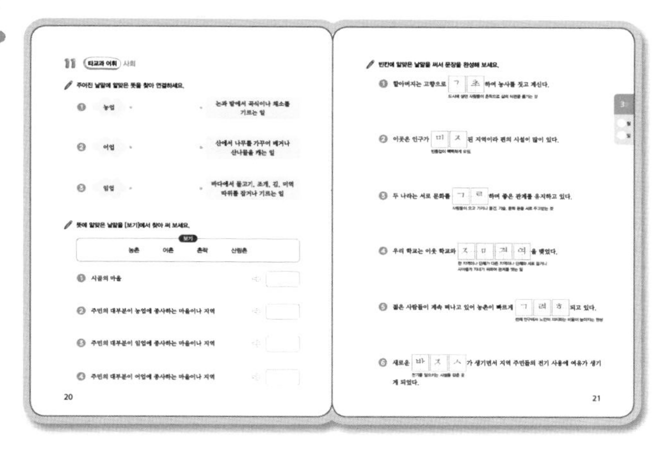

각 학기의 **[사회], [과학], [도덕], [수학]**의 교과서에 나오는 주요 어휘들을 공부해 보세요.

7 어휘력을 높이는 확인 학습

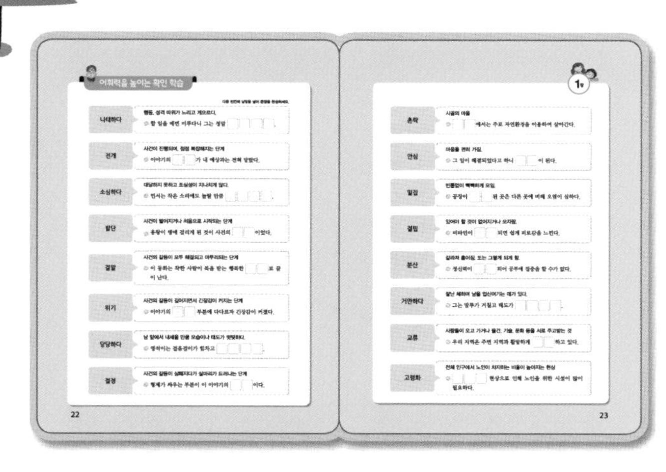

앞에서 공부한 어휘들을 다시 한번 확인해 보면서 확실한 어휘 학습이 되었는지 점검해 보세요.

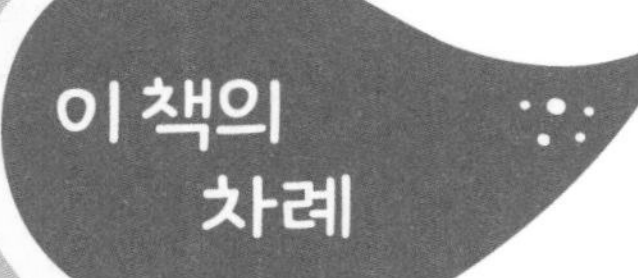

계획에 따라 차근차근 공부해요.

학생 지도 방안

학생들의 학습을 도와주세요!

기본 학습

일차별로 꾸준하게 공부하게 합니다.

학습 스케줄에 따라 하루에 25~30개의 정도의 낱말을 꾸준하게 공부할 수 있도록 지도하는 것이 좋습니다.

20~30분 집중하여 학습하게 합니다.

시간을 정해 두고 한 번에 집중해서 학습하도록 하는 것이 바람직합니다.

점검 학습

단원별로 공부한 어휘를 점검하게 합니다.

3일차 학습이 끝나는 대로 10분 정도의 시간을 별도로 할애하여 '어휘력을 높이는 확인 학습' 코너를 활용하여 주요 어휘들을 숙지하였는지 확인해야 합니다.

모바일 앱을 통해 학습한 내용을 복습하게 합니다.

본 교재는 모바일에서 '초등국어 어휘왕' 앱을 제공합니다. 이를 다운 받아, 하루에 학습한 낱말을 복습할 수 있도록 지도할 수도 있습니다.

도움 학습

궁금해할 만한 내용은 해설을 보고 직접 설명해 줍니다.

'정답 및 해설'에 알아 두면 유익한 내용들을 이해하기 쉽도록 별도로 설명해 두었습니다. 이를 학생에게 설명하여 이해를 돕는 것이 중요합니다.

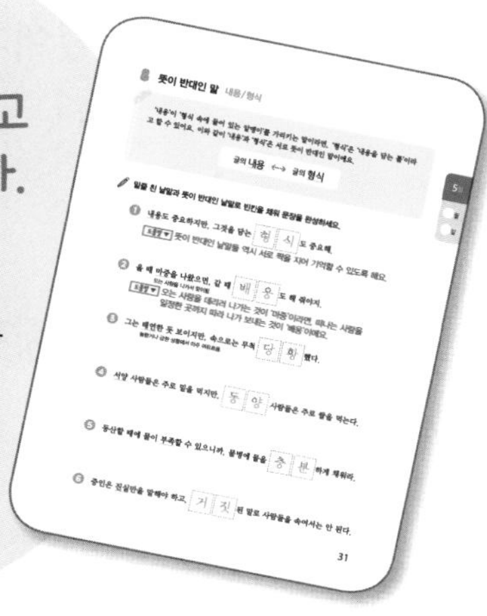

1장 이어질 장면을 생각해요

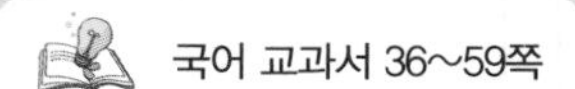

1 사건의 흐름 1

사건이란 이야기 속 인물들이 겪거나 벌이는 일을 말해요. 사건의 단계는 발단→ 전개→ 위기→ 절정→ 결말로 이어져요.

다음은 사건의 각 단계에 대한 설명이에요. 빈칸에 알맞은 낱말을 [보기]에서 찾아 써 보세요.

보기

시작 진행 긴장감 마무리 실마리

1. 발단 ⇨ 사건이 벌어지거나 처음으로 [   ] 되는 단계
2. 전개 ⇨ 사건이 [   ] 되며, 점점 복잡해지는 단계
3. 위기 ⇨ 사건의 갈등이 깊어지면서 [   ]이 커지는 단계
4. 절정 ⇨ 사건의 갈등이 심해지다가 [   ]가 드러나는 단계
   일을 풀어나갈 수 있는 첫머리
5. 결말 ⇨ 사건의 갈등이 모두 해결되고 [   ] 되는 단계

2 사건의 흐름 2

다음은 '토끼전'의 이야기예요. 이야기를 읽고 각 사건의 단계를 써 보세요.

1일 월 일

옛날에 깊은 바닷속에 사는 용왕이 병에 걸리고 말았습니다. 용왕의 병에 토끼의 간을 약으로 써야 한다는 의원의 말을 들은 자라가 토끼를 잡아 오겠다고 나섰습니다. → 발단

육지로 올라온 자라는 수소문 끝에 토끼를 만났습니다.
"토끼야. 나는 바다에 사는 자라란다. 이곳에서의 삶이 힘들어 보이는구나. 나를 따라 바닷속 용궁에 가서 편안히 사는 건 어떤가?"
토끼는 자라의 말을 듣고 용궁으로 향했습니다. → ( )

토끼가 용궁에 도착하자 여러 물고기들이 토끼를 옭아매어 용왕의 앞으로 데려갔습니다.
"이놈의 배를 갈라 간을 꺼내라!"
용왕의 호령에 토끼는 자신이 속았음을 알아차렸습니다. → ( )

토끼는 다급하게 꾀를 내어 말했습니다.
"아이구, 용왕님! 어쩝니까? 제 간을 노리는 자가 많아 계곡에 숨겨 두고 왔습니다. 자라와 같이 돌아가서 가지고 오도록 하겠습니다."
용왕이 이를 허락하자, 자라는 토끼를 다시 육지로 데려다 주었습니다. → ( )

육지에 도착한 토끼는 자라를 비웃으며 말했습니다.
"이 멍청한 자라야, 이 세상에 누가 자기 간을 꺼내도 살 수 있겠느냐?"
그러고는 자라를 피해 멀리 도망가고 말았습니다. → ( )

3 주제별 어휘 왕의 의관

'의관'은 '정식으로 갖춰 입는 옷차림'을 뜻하는 말이에요. 조선 시대에 왕을 비롯한 양반들은 의관을 갖추는 것을 매우 중요하게 생각했어요.

빈칸에 알맞은 낱말을 [보기]에서 찾아 써 보세요.

보기

보 면복 옥대 곤룡포 면류관 익선관

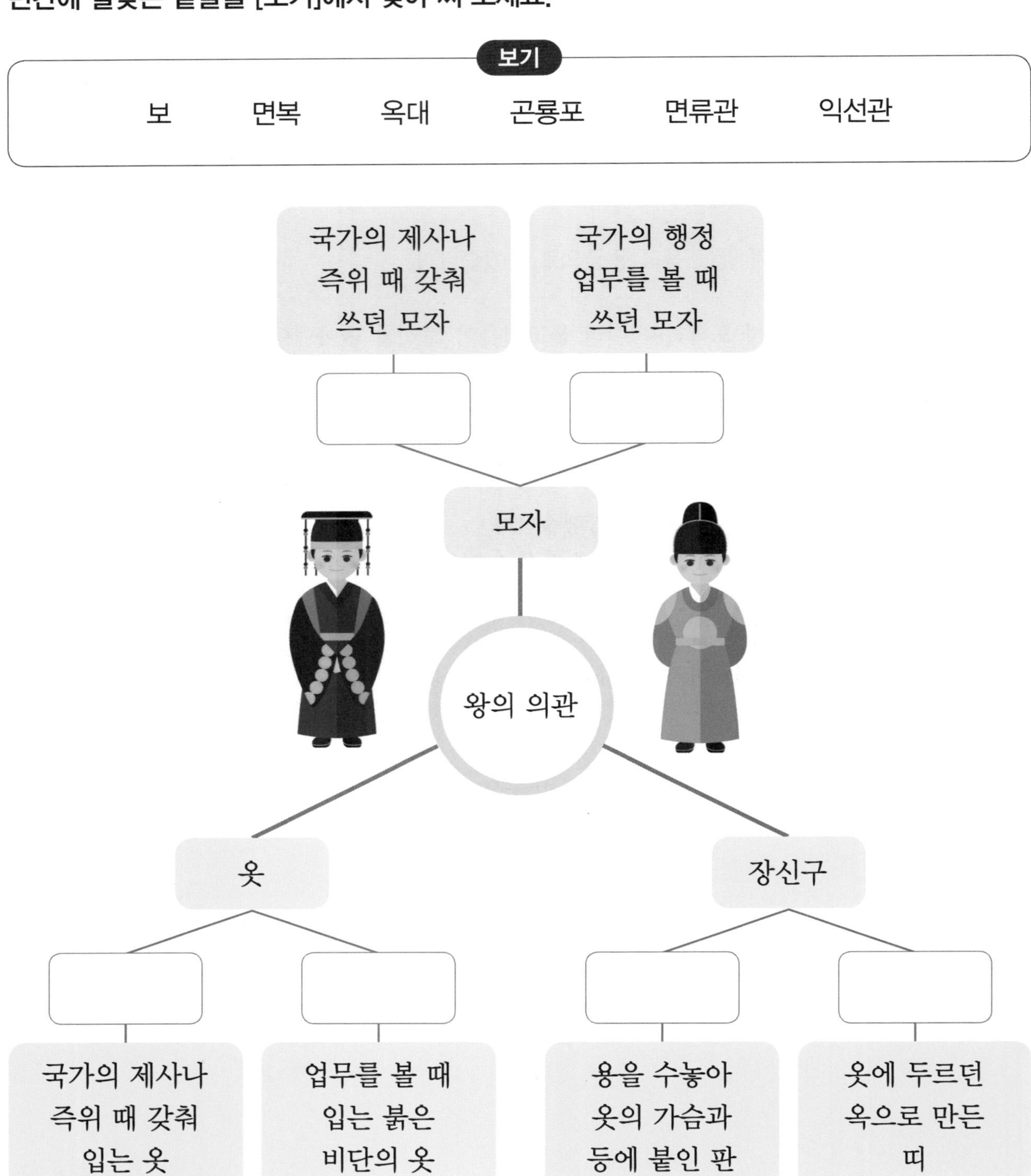

4 합쳐진 말 눈물방울

'눈물'과 '방울'이 만나서 '눈물방울'이라는 새로운 낱말이 생겨났어요. 이렇게 낱말과 낱말이 합쳐져서 하나의 낱말이 되기도 해요.

눈물 + 방울 → 눈물방울

주어진 세 낱말에 모두 붙여 쓸 수 있는 낱말을 [보기]에서 찾아 써 보세요.

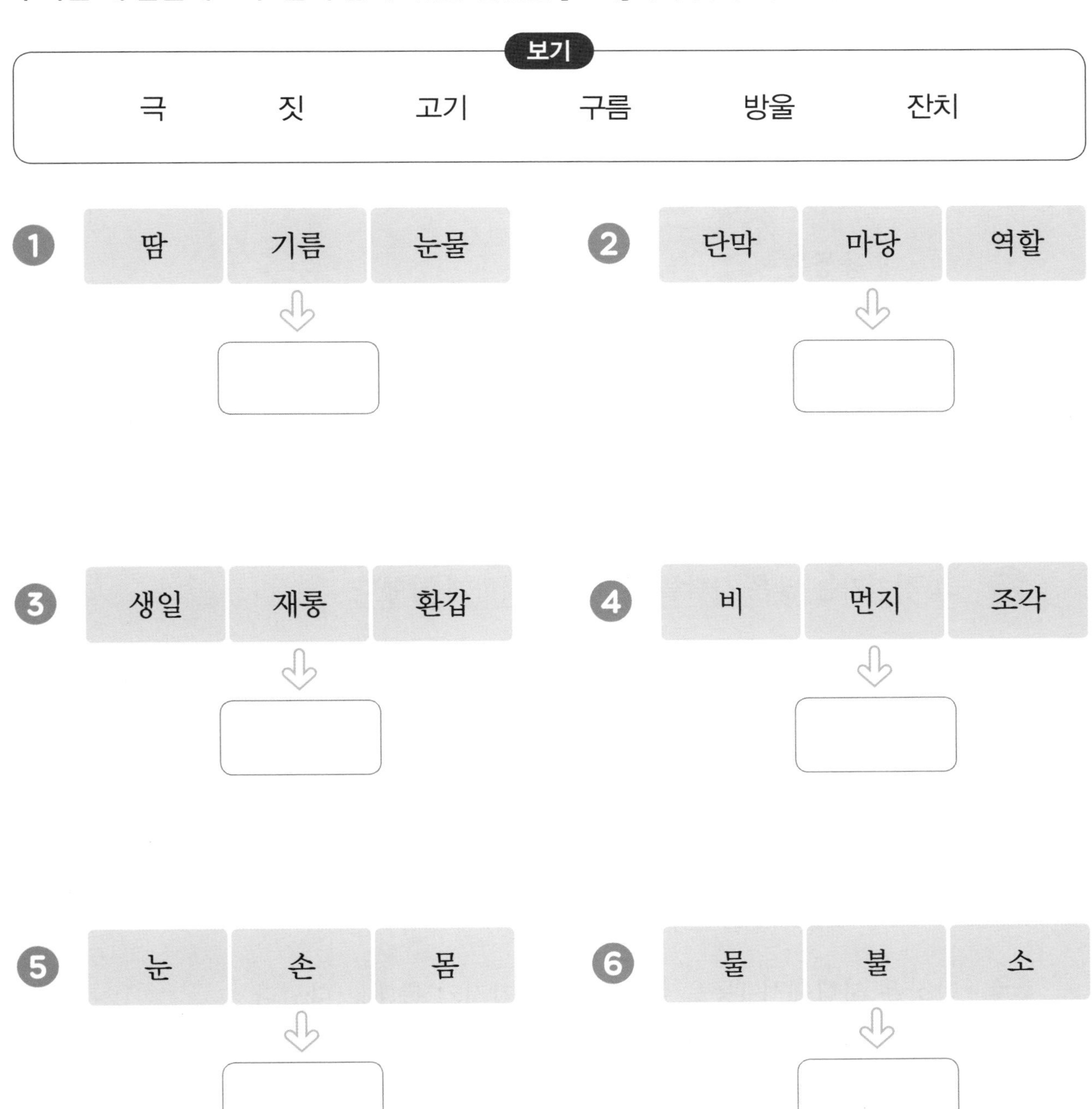

5 성격을 나타내는 말 성실하다

말과 행동을 보면 그 사람의 성격을 짐작할 수 있어요.

그는 모든 일에 정성스럽고 열심이다. → 그는 성실하다.

밑줄 친 부분에 어울리는 낱말을 [보기]에서 찾아 써 보세요.

보기

거만하다 근면하다 나태하다 당당하다 소심하다

1. 내 동생은 게을러서 방학 숙제를 미루어 두었다.

→ 내 동생은 (　　　　).

행동, 성격 따위가 느리고 게으르다.

2. 그녀는 매일 아침 일찍 일어날 만큼 부지런하다.

→ 그녀는 (　　　　).

꾸준하고 부지런하다.

3. 그 정치가는 많은 사람들 앞에서 떳떳하게 말했다.

→ 그 정치가는 (　　　　).

남 앞에서 내세울 만큼 모습이나 태도가 떳떳하다.

4. 그는 위층의 층간 소음에도 아무런 말을 하지 못한다.

→ 그는 (　　　　).

대담하지 못하고 조심성이 지나치게 많다.

5. 반장은 시험에서 1등을 한 사실을 여기저기 뽐내고 다녔다.

→ 반장은 (　　　　).

잘난 체하며 남을 업신여기는 데가 있다.

6 뜻을 보충하는 말 버리다

앞말의 행동이 이미 끝났음을 강조할 때에는 앞말에 '버리다'를 붙여 써요. 이 낱말은 필요 없는 물건을 내던질 때 쓰는 '버리다'와는 전혀 다른 말이에요.

나무를 베다. → 나무를 베어 버리다.
'이미 끝났음.'을 강조

밑줄 친 낱말이 '이미 끝났음.'의 의미를 포함하도록 바꾸어 써 보세요.

1. 나를 남기고 모두 갔다. → 가 □ □ □

2. 토요일에 숙제를 다 했다. → 해 □ □ □

3. 나도 모르게 눈을 감았다. → 감 아 □ □ □

4. 동생이 내 사과를 먹었다. → 먹 어 □ □ □

5. 비가 와서 옷이 다 젖었다. → 젖 어 □ □ □

6. 너무 피곤해서 바닥에 그대로 누었다. → 누 워 □ □ □

7 잘못 쓰기 쉬운 말 떡볶이

간식으로 즐겨 먹는 '떡볶이'를 소리 나는 대로 쓰려다 보면 잘못 쓰기 쉬워요. '떡뽀끼'나 '떡뽂기'로 쓰지 않도록 주의해야 해요.

떡볶이를 해 먹다.
떡뽀끼(×), 떡뽂기(×)

다음 문장에 알맞은 낱말을 찾아 ○표 하고, 바르게 써 보세요.

1. 친구에게 화가 난 (까닥 / 까닭)을 물었다.
2. 할아버지는 수술을 다섯 (차레 / 차례)나 받으셨다.
   반복되는 일이 일어나는 횟수를 세는 말
3. 그의 집은 매우 크고 화려해서 (궁걸 / 궁궐) 같았다.
   임금이 사는 큰 집
4. 그 예술가는 (페품 / 폐품)을 모아 작품을 만들었다.
   다 쓰고 낡아서 버리는 물건
5. 엄마가 (떡뽀끼 / 떡볶이)를 해 주셨다.
6. 찌개는 (뚝배기 / 뚝빼기)에 끓여야 맛있다.
   찌개를 끓이거나 설렁탕 따위를 담을 때 쓰는 그릇
7. 남은 반찬으로 (복음밥 / 볶음밥)을 해 먹었다.

8 뜻이 반대인 말 행복/불행

'행복'의 반대말에는 '불행', '불우' 등이 있어요. 하지만 낱말의 쓰임에 따라 그에 맞는 반대말이 있지요.

그는 **행복**을 느낀다. ⇄ 그는 짝을 찾지 못해 **불행**하다.
행복: 만족하여 흐뭇함. / 불행: 불우(×)

다음 문장을 바르게 고치려고 해요. 밑줄 친 낱말과 뜻이 반대인 말을 찾아 ○표 하세요.

1. 친구와 오해를 풀고 갈등했다. → 양보 / 화해
   갈등: 입장이나 의견 차이로 생기는 충돌

2. 승부가 날 때까지 놀이를 중단했다. → 연속 / 계속
   중단: 중간에 멎거나 그만둠.

3. 원하는 것을 모두 이룬 그녀는 불행했다. → 다행 / 행복

4. 오누이는 엄마가 돌아오지 않아 안심했다. → 걱정 / 안정
   안심: 마음을 편히 가짐.

5. 친구가 발표할 때에는 주의를 분산해야 한다. → 몰입 / 집중
   분산: 갈라져 흩어짐.

6. 조건이 결핍되면 선생님의 의견을 따르겠습니다. → 충족 / 충전
   결핍: 있어야 할 것이 없어지거나 모자람.

9 띄어쓰기 ○ 번

'번'은 '한', '두', '열' 등의 말 뒤에 써서 '수'를 나타내거나, 차례를 나타내는 말로 쓰여요. 이때 앞말과는 띄어 써야 해요.

한 번에 하나씩

다음 번 차례는 너야.

다음 밑줄 친 부분을 바르게 띄어 써 보세요.

1. 한번만 도와줘. ⇨ 한

2. 나한테 몇번이나 물어봤었어. ⇨ 몇

3. 이곳은 여러번에 걸쳐 방문한 곳이다. ⇨ 여

4. 나는 두번얘기 안 한다. ⇨ 두

5. 문제를 열번안에 맞춰야 한다. ⇨ 열

6. 다음번에는 반드시 합격해야지. ⇨ 다

10 헷갈리기 쉬운 말 (으)로서/(으)로써

'(으)로서'는 '지위나 신분 또는 자격을 나타내는 말'이고 '(으)로써'는 '어떤 일의 수단이나 도구를 나타내는 말'이에요.

반장**으로서** 할 말이 있다. 자격으로	대화**로써** 해결하자. 수단으로

다음 문장에 어울리는 표현을 찾아 ○표 하세요.

1. 친구(로서 / 로써) 너를 믿는다.

2. 말(로서 / 로써) 천 냥 빚을 갚는다.

3. 눈물(로서 / 로써) 호소할 수밖에 없다.

4. 사람(으로서 / 으로써) 한 점 부끄러움이 없다.

5. 수술하지 않고 약(으로서 / 으로써) 병을 치료한다.

6. 나는 학생(으로서 / 으로써) 공부를 게을리하지 않을 것이다.

11 타교과 어휘 사회

주어진 낱말에 알맞은 뜻을 찾아 연결하세요.

❶ 농업 • • 논과 밭에서 곡식이나 채소를 기르는 일

❷ 어업 • • 산에서 나무를 가꾸어 베거나 산나물을 캐는 일

❸ 임업 • • 바다에서 물고기, 조개, 김, 미역 따위를 잡거나 기르는 일

뜻에 알맞은 낱말을 [보기]에서 찾아 써 보세요.

보기

농촌 어촌 촌락 산림촌

❶ 시골의 마을 → ☐

❷ 주민의 대부분이 농업에 종사하는 마을이나 지역 → ☐

❸ 주민의 대부분이 임업에 종사하는 마을이나 지역 → ☐

❹ 주민의 대부분이 어업에 종사하는 마을이나 지역 → ☐

빈칸에 알맞은 낱말을 써서 문장을 완성해 보세요.

1 할아버지는 고향으로 [ㄱ][초]하여 농사를 짓고 계신다.

도시에 살던 사람들이 촌락으로 삶의 터전을 옮기는 것

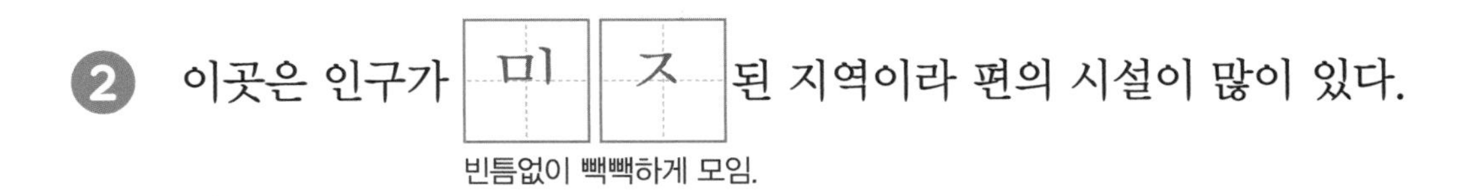

2 이곳은 인구가 [미][ㅈ]된 지역이라 편의 시설이 많이 있다.

빈틈없이 빽빽하게 모임.

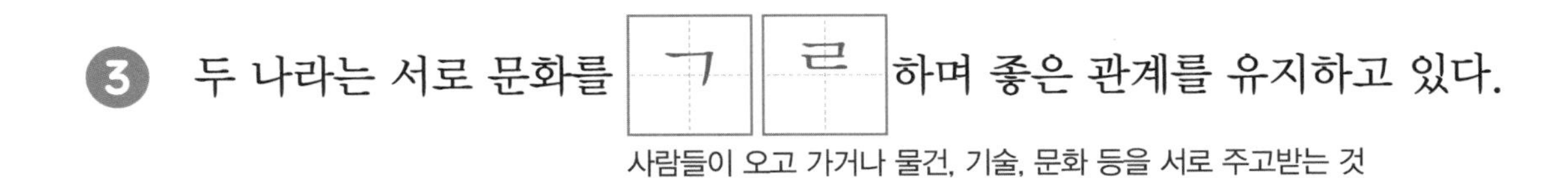

3 두 나라는 서로 문화를 [ㄱ][ㄹ]하며 좋은 관계를 유지하고 있다.

사람들이 오고 가거나 물건, 기술, 문화 등을 서로 주고받는 것

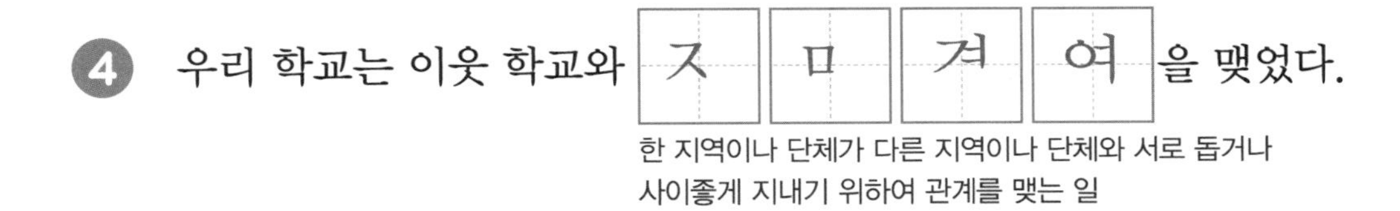

4 우리 학교는 이웃 학교와 [ㅈ][ㅁ][겨][여]을 맺었다.

한 지역이나 단체가 다른 지역이나 단체와 서로 돕거나
사이좋게 지내기 위하여 관계를 맺는 일

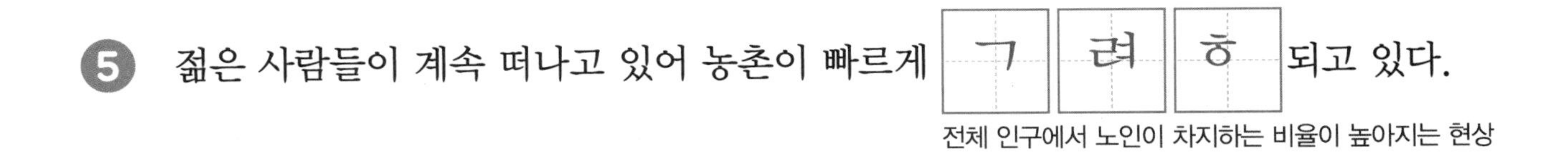

5 젊은 사람들이 계속 떠나고 있어 농촌이 빠르게 [ㄱ][려][ㅎ]되고 있다.

전체 인구에서 노인이 차지하는 비율이 높아지는 현상

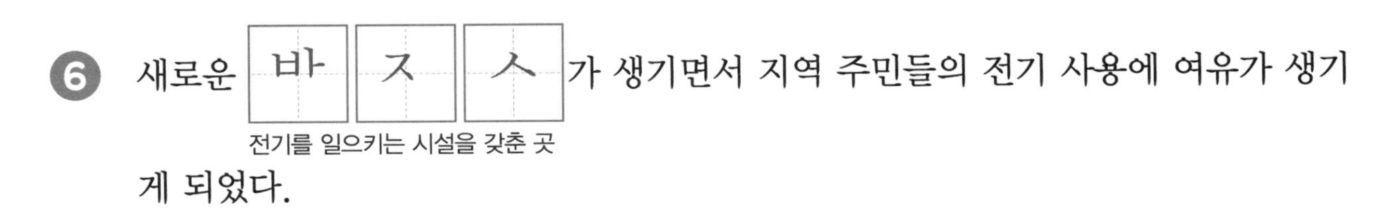

6 새로운 [바][ㅈ][ㅅ]가 생기면서 지역 주민들의 전기 사용에 여유가 생기게 되었다.

전기를 일으키는 시설을 갖춘 곳

3일 월 일

어휘력을 높이는 확인 학습

다음 빈칸에 낱말을 넣어 문장을 완성하세요.

나태하다

행동, 성격 따위가 느리고 게으르다.

예 할 일을 매번 미루다니 그는 정말 □□□□.

전개

사건이 진행되며, 점점 복잡해지는 단계

예 이야기의 □□가 내 예상과는 전혀 달랐다.

소심하다

대담하지 못하고 조심성이 지나치게 많다.

예 민서는 작은 소리에도 놀랄 만큼 □□□□.

발단

사건이 벌어지거나 처음으로 시작되는 단계

예 용왕이 병에 걸리게 된 것이 사건의 □□이었다.

결말

사건의 갈등이 모두 해결되고 마무리되는 단계

예 이 동화는 착한 사람이 복을 받는 행복한 □□로 끝이 난다.

위기

사건의 갈등이 깊어지면서 긴장감이 커지는 단계

예 이야기의 □□ 부분에 다다르자 긴장감이 커졌다.

당당하다

남 앞에서 내세울 만큼 모습이나 태도가 떳떳하다.

예 영석이는 걸음걸이가 힘차고 □□□□.

절정

사건의 갈등이 심해지다가 실마리가 드러나는 단계

예 형제가 싸우는 부분이 이 이야기의 □□이다.

촌락	시골의 마을 예 □□에서는 주로 자연환경을 이용하여 살아간다.
안심	마음을 편히 가짐. 예 그 일이 해결되었다고 하니 □□이 된다.
밀집	빈틈없이 빽빽하게 모임. 예 공장이 □□된 곳은 다른 곳에 비해 오염이 심하다.
결핍	있어야 할 것이 없어지거나 모자람. 예 비타민이 □□되면 쉽게 피로감을 느낀다.
분산	갈라져 흩어짐. 또는 그렇게 되게 함. 예 정신력이 □□되어 공부에 집중을 할 수가 없다.
거만하다	잘난 체하며 남을 업신여기는 데가 있다. 예 그는 말투가 거칠고 태도가 □□□□.
교류	사람들이 오고 가거나 물건, 기술, 문화 등을 서로 주고받는 것 예 우리 지역은 주변 지역과 활발하게 □□하고 있다.
고령화	전체 인구에서 노인이 차지하는 비율이 높아지는 현상 예 □□□ 현상으로 인해 노인을 위한 시설이 많이 필요하다.

2장 마음을 전하는 글을 써요

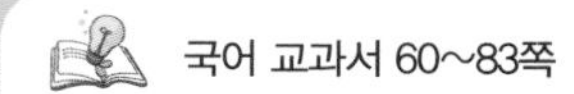

1 편지의 형식

편지를 쓸 때에는 상대방에게 전하고자 하는 바를 형식에 맞게 적어 보내야 해요. 편지의 형식을 지키는 것은 상대방에 대한 예의를 갖추는 것이라고 할 수 있어요.

다음은 편지의 형식에 들어갈 내용을 정리한 것이에요. 빈칸에 알맞은 말을 [보기]에서 찾아 써 보세요.

보기

날짜 끝인사 첫인사 쓴 사람 전할 말 받을 사람

선생님. → ( )

안녕하세요. 몇 달째 기승부리던 무더위가 지나가는 것인지, 이곳은 아침저녁으로 제법 선선한 바람이 부네요. 선생님께서 그곳으로 근무지를 옮겨 가신지도 벌써 반년이 넘었는데요. 어떻게 지내고 계신지 무척 궁금합니다. → ( )

다음 달에 몇몇 친구들과 함께 이천 도자기 마을로 현장 학습을 갈 예정이에요. 부모님께서 도자기 마을에서 선생님이 계시는 곳까지는 그리 멀지 않은 거리라고 말씀해 주셨어요. 현장 학습을 마치고 선생님을 찾아봬도 될는지 여쭤 보려고요. 선생님께서 허락해 주시면 세 시쯤 터미널 앞으로 찾아갈게요. → ( )

그럼, 이 편지를 확인하시는 대로 꼭 답장을 보내 주세요. 이번 기회에 선생님을 꼭 뵐 수 있기를 기대할게요. 안녕히 계세요. → ( )

20○○년 ○월 ○일 → ( )

이름이 올림. → ( )

2 편지의 종류

다음 상황에 어울리는 편지가 무엇인지 빈칸에 알맞은 낱말을 [보기]에서 찾아 써 보세요.

보기

감사 사과 안부 위문 초대

❶ 상대방에게 용서를 구하려고 할 때 → ( ) 편지

❷ 상대방에게 고마움을 전하려고 할 때 → ( ) 편지

❸ 상대방을 위로하고 격려하려고 할 때 → ( ) 편지

❹ 특별한 일에 사람들을 모아 대접하려고 할 때 → ( ) 편지

❺ 상대방이 잘 지내는지 묻거나 자신이 잘 지내고 있음을 알리려고 할 때 → ( ) 편지

3 주제별 어휘 도자기

도자기란 '흙으로 빚어 높은 열에 구워서 만든 그릇'을 말해요. 옛날 우리 선조들은 이렇게 흙으로 도자기를 만들어 그릇으로 사용했어요.

다음은 도자기를 만드는 과정이에요. 빈칸에 알맞은 낱말을 [보기]에서 찾아 써 보세요.

보기

가마 기포 물레 수분 유약 채색 초벌구이

① 첫째, 깨끗한 흙으로 만든 찰흙을 반죽하여 ( ) 를 없앤다.
물체 속에 들어 있는 작은 공기 방울

② 둘째, ( ) 위에 반죽을 놓고 돌리며 원하는 모양으로 만든다.
흙을 빚거나 무늬를 넣는 데 사용하는 돌림판

③ 셋째, ( ) 을 제거하기 위해 그늘에서 서서히 말린다.
무엇에 스며 있는 물

④ 넷째, 800도의 ( ) 에 넣고 ( ) 를 한다.
숯, 벽돌, 질그릇 따위를 구워 만드는 시설 / 처음에 낮은 온도의 열로 굽는 일

⑤ 다섯째, 물감을 사용하여 ( ) 작업을 하고, ( ) 을 입힌다.
그림이나 장식에 색을 칠하는 것 / 윤이 나게 하기 위해 토기에 바르는 물질

⑥ 여섯째, 1200도 이상의 ( ) 에 넣고 다시 굽는다.
숯, 벽돌, 질그릇 등을 구워 만드는 시설

4 꾸며 주는 말 워낙

'워낙'은 '아주', '매우'의 뜻을 가진 낱말로, 다른 낱말이나 문장을 꾸며 주는 역할을 해요. 꾸며 주는 말의 뜻에 따라 문장의 의미가 달라질 수 있어요.

그는 **워낙** 성질이 급하다. ≠ 그는 **왠지** 성질이 급하다.

다음 빈칸에 들어갈 낱말 중에서 뜻이 다른 하나를 찾아 ○표 하세요.

1 그는 ( ) 바쁜 사람이다.
정도나 수준이 보통보다 훨씬
→ 아주 / 무척 / 항시 / 굉장히

2 ( ) 나에게 말할 것이지.
좀 더 일찍이
→ 미리 / 진작 / 진즉 / 죄다

3 언니는 머리를 ( ) 감는다.
경우나 기회가 생길 때마다
→ 자주 / 간간이 / 번번이 / 수시로

4 산에 오니 기분이 ( ) 가뿐해졌다.
이전에 비해 한층 더
→ 더욱 / 마냥 / 훨씬 / 한결

5 뜻을 더하는 말 –껏

'–껏'은 앞말에 붙어 '그것이 닿는 데까지', 또는 '그때까지 내내'의 뜻을 더하는 말이에요.

밑줄 친 부분을 '–껏'을 사용하여 한 낱말로 바꿔 써 보세요.

1. 

밤이 지나는 동안 꼬박 공부했다.

→ 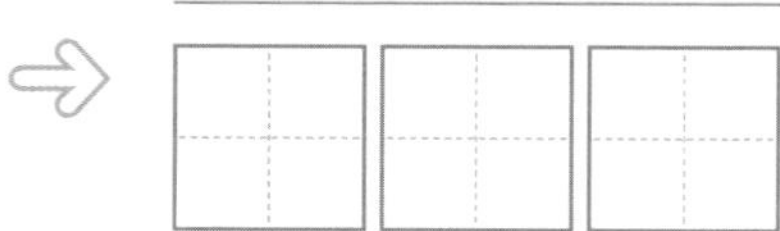

2. 

있는 정성을 다하여 아기를 보살폈다.

→ 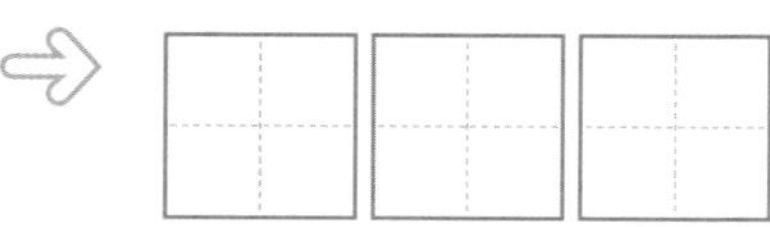

3. 

음식을 할 수 있는 양의 한도까지 먹었다.

→ 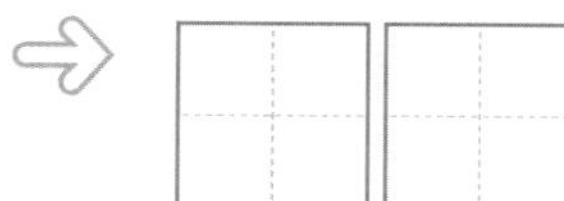

4. 

우승을 하려고 있는 힘을 다하여 달렸다.

→ 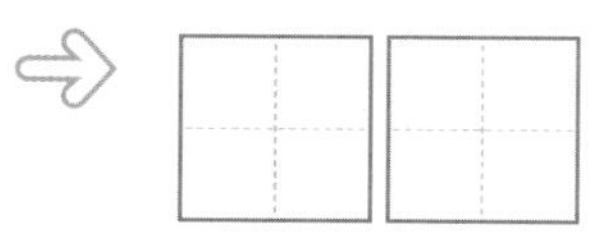

6 형태는 같은데 뜻이 다른 말 반하다

'반하다'는 '마음이 홀린 듯이 쏠리다.'라는 뜻 외에도 '남의 의견이나 법 따위를 따르지 않고 어기다.'라는 뜻을 가지고 있어요.

첫눈에 **반하다**.
마음이 홀린 듯이 쏠리다.

법에 **반하다**.
남의 의견이나 법 따위를 따르지 않고 어기다.

5일

월

일

빈칸에 공통으로 들어갈 낱말을 써 보세요.

1 ㄱ ㄹ ㄷ

① 우수 모둠을 ☐☐☐.
여럿 가운데서 하나를 구별하여 뽑다.

② 커튼으로 창문을 ☐☐☐.
보이거나 통하지 못하도록 막다.

2 ㅇ ㄹ ㄷ

① 내 동생은 아직 ☐☐☐.
나이가 적다.

② 그녀의 두 눈에 눈물이 ☐☐☐.
눈에 눈물이 조금 고이다.

3 ㅂ ㅎ ㄷ

① 그의 행동이 학교 규칙에 ☐☐☐.
남의 의견이나 법 따위를 따르지 않고 어기다.

② 그 가수의 아름다운 목소리에 ☐☐☐.
마음이 홀린 듯이 쏠리다.

4 ㅈ ㄹ ㄷ

① 선반 위에 손이 ☐☐☐.
일정한 곳을 향하여 뻗었을 때 닿다.

② 나무가 무럭무럭 ☐☐☐.
생물이 부분적으로 또는 전체적으로 점점 커지다.

7 바꿔 쓸 수 있는 말 고려하다

'고려하다'는 '자세히 따져서 생각하다.'라는 뜻을 가지고 있어요. 이 낱말은 '생각하다'라는 말로 쉽게 표현할 수도 있어요.

그의 사정을 [고려/생각]하다.
바꿔 쓸 수 있음.

밑줄 친 낱말과 바꿔 쓸 수 있는 낱말을 [보기]에서 찾아 써 보세요.

보기

고려 공경 당부 예측 체험

1. 제 입장을 좀 생각해 주세요. → ( )
헤아리거나 판단함.

2. 나는 우리 선생님을 존경한다. → ( )
남의 훌륭한 인격을 받들어 모심.

3. 우리가 속을 줄은 짐작하지 못했다. → ( )
사정이나 형편 등을 대강 알아차림.

4. 할아버지는 전쟁을 경험한 세대이다. → ( )
직접 해 보거나 느끼는 것

5. 엄마는 아빠에게 일찍 들어오라고 부탁했다. → ( )
어떤 일을 해 달라고 청하거나 맡김.

8 뜻이 반대인 말 내용/형식

'내용'이 '형식 속에 들어 있는 알맹이'를 가리키는 말이라면, '형식'은 '내용을 담는 틀'이라고 할 수 있어요. 이와 같이 '내용'과 '형식'은 서로 뜻이 반대인 말이에요.

글의 내용 ⟷ 글의 형식

밑줄 친 낱말과 뜻이 반대인 낱말로 빈칸을 채워 문장을 완성하세요.

1. 내용도 중요하지만, 그것을 담는 [ㅎ][ㅅ]도 중요해.

2. 올 때 마중을 나왔으면, 갈 때 [ㅂ][ㅇ]도 해 줘야지.
   오는 사람을 나가서 맞이함.

3. 그는 태연한 듯 보이지만, 속으로는 무척 [ㄷ][ㅎ]했다.
   놀랍거나 급한 상황에서 아주 여유로움.

4. 서양 사람들은 주로 밀을 먹지만, [ㄷ][ㅇ] 사람들은 주로 쌀을 먹는다.

5. 등산할 때에 물이 부족할 수 있으니까, 물병에 물을 [ㅊ][ㅂ]하게 채워라.

6. 증인은 진실만을 말해야 하고, [ㄱ][ㅈ]된 말로 사람들을 속여서는 안 된다.

9 띄어쓰기 한번/한 번

어떤 일을 시험 삼아 해 본다는 뜻의 '한번'은 붙여 써야 하고, 횟수를 나타내는 '한 번'은 띄어 써야 해요.

어디 한번 먹어볼까?
시험 삼아 해 본다는 의미일 때

다음 문장에 어울리는 말을 찾아 ○표 하세요.

1. (한번 / 한 번)에 하나씩만 해라.

2. 그는 (한번 / 한 번) 한다면 하는 사람이야.

3. 네 인생의 (한번 / 한 번)뿐인 청춘을 즐겨라.

4. (한번 / 한 번) 하는 것이 어렵지 두 번은 쉬워.

5. 시간이 나면 종종 낚시나 (한번 / 한 번) 하시지요.

6. 아무도 못한다니, 제가 (한번 / 한 번) 나서 보겠습니다.

10 올바른 발음 맑다[막따]

겹받침 'ㄺ'은 뒤에 자음자가 오면 [ㄱ]으로 소리 나요. 다만, 뒤에 자음자 'ㄱ'이 올 경우 [ㄹ]로 소리 나지요.

물이 **맑다[막따]**. [ㄱ]으로 소리 남.

물이 **맑고[말꼬]** 푸르다. [ㄹ]로 소리 남.

6일 월 일

밑줄 친 낱말의 알맞은 발음을 찾아 ○표 하세요.

1. 물감이 묽다. → [묵따] [물따]

   물감이 묽고 흐리다. → [묵꼬] [물꼬]

2. 운동화가 낡다. → [낙따] [날따]

   운동화가 낡고 더럽다. → [낙꼬] [날꼬]

3. 그는 늙고 싶지 않았다. → [늑꼬] [늘꼬]

   그는 늙지 않기 위해 열심히 운동을 했다. → [늑찌] [늘찌]

4. 조명이 무척이나 밝지? → [박찌] [발찌]

   조명을 더 이상 밝게 하는 것은 무리야. → [박께] [발께]

5. 가을 하늘이 맑다. → [막따] [말따]

   가을 하늘은 더없이 맑고 푸르렀다. → [막꼬] [말꼬]

11 타교과 어휘 과학

빈칸에 알맞은 낱말을 써서 문장을 완성해 보세요.

1. 작은 부품들을 [화][ㄷ][겨]으로 보면서 조립하였다.
   물체의 확대된 모습을 보기 위한 도구

2. [거][ㅈ][ㄱ]를 사용하면 빨래를 쉽게 말릴 수 있다.
   물체에 있는 물기를 말리는 장치

3. 나비의 몸빛이 바뀐 것은 오염된 대기 환경에 [저][으]한 결과이다.
   생물이 오랜 기간에 걸쳐 주변 환경에 적합하게 변화되어 가는 것

4. [그][ㅈ]에 사는 식물들은 추운 기후를 이겨 내는 생존 전략이 있다.
   북극과 남극 근처의 땅으로 북극권과 남극권이라고 부르기도 함.

5. 그 과학자는 자연에서 일어나는 [혀][ㅅ]을 연구하여 보고서를 작성했다.
   사물의 모양과 상태

6. 화학 실험을 할 때에는 눈을 보호하기 위해 [ㅂ][ㅇ][ㄱ]을 써야 한다.
   눈을 보호하기 위하여 쓰는 안경

❼ 빨래는 잘 [ㄱ][ㅈ]해야 냄새가 나지 않는다.
물기나 습기를 말려서 없앰.

❽ 방 안이 건조해지지 않도록 [ㄱ][ㅅ][ㄱ]를 틀어 놓았다.
수증기를 내뿜어 건조하지 않게 만드는 기구

❾ 재활용하는 캔을 찌그러뜨려 버리면 [ㅂ][ㅍ]를 줄일 수 있다.
물건이 공간에서 차지하는 크기

❿ 지구의 대기 중에서 수증기가 [ㅇ][ㄱ]하여 비나 눈이 만들어진다.
기체인 수증기가 액체인 물로 상태가 변하는 것

⓫ 지난밤 추위에 [ㅅ][ㄷ][ㄱ]이 꽁꽁 얼어 물이 나오지 않는다.
수돗물을 보내는 관

⓬ 지붕 위에 쌓였던 눈이 녹아 처마 끝에 [ㄱ][ㄷ][ㄹ]이 잔뜩 달렸다.
처마 끝에서 떨어지는 물이 밑으로 흐르다가 길게 얼어붙은 얼음

6일

월

일

어휘력을 높이는 확인 학습

다음 빈칸에 글자를 넣어 낱말을 완성하세요.

1 진□	좀 더 일찍이
2 □성□	있는 정성을 다하여
3 수□	무엇에 스며 있는 물
4 □결	이전에 비해 한층 더
5 □새□	밤이 지나는 동안 꼬박
6 □□이	경우나 기회가 생길 때마다
7 □벌□이	처음에 낮은 온도의 열로 굽는 일
8 □색	그림이나 장식에 색을 칠하는 것
9 □레	흙을 빚거나 무늬를 넣는 데 사용하는 돌림판
10 자□다	생물이 부분적으로 또는 전체적으로 점점 커지다.

정답 1. 작 2. 정, 껏 3. 분 4. 한 5. 밤, 껏 6. 번, 번 7. 초, 구 8. 채 9. 물 10. 라

11 □험	직접 해 보거나 느끼는 것
12 어□다	눈에 눈물이 조금 고이다.
13 짐□	사정이나 형편을 대강 알아차림.
14 당□	어떤 일을 해 달라고 청하거나 맡김.
15 배□	떠나는 사람을 따라가 인사하여 보냄.
16 □연	놀랍거나 급한 상황에서 아주 여유로움.
17 □결	기체인 수증기가 액체인 물로 상태가 변하는 것
18 □지	북극과 남극 근처의 땅으로 북극권과 남극권이라고 부르기도 함.
19 □드□	처마 끝에서 떨어지는 물이 밑으로 흐르다가 길게 얼어붙은 얼음
20 적□	생물이 오랜 기간에 걸쳐 주변 환경에 적합하게 변화되어 가는 것

정답 11. 경 12. 리 13. 작 14. 부 15. 웅 16. 태 17. 응 18. 극 19. 고, 름 20. 응

3장 바르고 공손하게

국어 교과서 84~109쪽

1 대화 예절 1

두 사람 이상이 서로 이야기를 주고받는 것을 '대화'라고 해요. 대화를 할 때에 예절을 지키지 않으면 상대방에게 불쾌감을 줄 수 있어요.

다음은 대화를 할 때 지켜야 할 예절이에요. 빈칸에 알맞은 낱말을 써 보세요.

1. 상대방의 말은 [겨][ㅊ]해야 한다.
   남의 말을 주의하여 들음.

2. 상대방의 말을 듣는 자세는 [고][ㅅ]해야 한다.
   예의가 바르고 겸손함.

3. 상대방을 [ㅂ][바]하는 말은 하지 않아야 한다.
   남을 헐뜯어서 말함.

4. 자신보다 나이가 많은 사람에게 말을 할 때에는 [노][이][ㅂ]을 사용해야 한다.
   높임말을 사용하는 방법이나 규칙

5. 상대방의 의견이 자신의 의견과 다르다고 하여 도중에 이야기를 끊고 [바][ㅂ]하는 것은 좋지 않다.
   남의 의견의 틀린 데를 가리키고 공격함.

6. 상대방의 말을 들을 때에는 고개를 끄덕이거나 표정의 변화를 주는 등 적절하게 [바][으]하며 듣는 것이 좋다.
   어떤 자극에 대해 생기는 동작이나 태도

2 대화 예절 2

대화를 할 때에 예절을 지키듯이, 온라인상에서 대화를 나눌 때에도 예절을 지켜야 해요.

다음은 온라인 대화를 할 때 지켜야 할 예절이에요. 빈칸에 알맞은 낱말을 써 보세요.

1. [ㅈ][ㅈ]에 맞는 대화를 한다.
   대화나 연구에서 중심이 되는 문제

2. [ㅅ][ㅅ]과 다른 내용을 올리지 않는다.
   실제로 있었던 일이나 현재에 있는 일

3. 상대의 [ㅈ][ㅂ]를 다른 곳에서 이야기하지 않는다.
   관찰을 통해 얻은 자료를 정리한 지식

4. 상대방이 알아볼 수 있는 적절한 [ㄷ][ㅎ][ㅁ]을 사용한다.
   온라인상에서 사용하는 개인의 이름

5. 다른 사람이 인터넷에 올린 정보를 인용할 때에는 [ㅊ][ㅊ]를 밝힌다.
   사물이나 말 따위가 처음 생겨난 곳

6. 대화방을 나갈 때에는 대화가 모두 [ㅁ][ㅁ][ㄹ]되었는지를 확인한다.
   어떤 일이나 행동을 잘 끝내는 것

3 부르는 말 서방

옛날에는 신분이 높은 사람이 나이 많은 아랫사람을 부를 때, 이름 대신에 성 뒤에 '서방'이라는 말을 붙여 불렀어요. 나이 많은 사람에 대한 존대의 의미를 담은 것이지요.

다음 설명에 알맞은 낱말을 [보기]에서 찾아 써 보세요.

보기

대감　　도령　　상감　　생원　　서방　　영감

1. (옛날에) 나이 많은 선비를 대접하며 이르는 말 → [　　　]
2. (옛날에) 높은 장관급 벼슬을 하는 사람을 이르는 말 → [　　　]
3. (옛날에) 양반 집안의 결혼하지 않은 남자를 이르는 말 → [　　　]
4. (옛날에) 차관급의 높은 벼슬을 하는 사람을 이르는 말 → [　　　]
5. (옛날에) 임금을 높여 이르는 말. 주로 '마마'를 덧붙여 씀. → [　　　]
6. (옛날에) 윗사람이 나이 많은 아랫사람을 대우하여 부르는 말 → [　　　]

더 알아 두기

오늘날 '영감'은 주로 늙은 남자를 이르는 말로, '서방'은 사위나 여동생의 남편을 부르는 말로 사용되고 있어요.

4 주제별 어휘 온라인 대화

온라인 대화방에서 볼 수 있는 말들이 있어요. 일상에서도 주로 사용하는 말들이니만큼 그 명확한 뜻을 파악해 두는 것이 좋아요.

7일 월 일

주어진 낱말에 알맞은 뜻을 찾아 연결하세요.

❶ 공유	어떤 행사나 모임 장소에서 나가는 것
❷ 입장	여럿이 어떤 물건이나 내용을 함께 소유하는 것
❸ 전송	어떤 장소나 모임이 있는 곳에 들어가는 것
❹ 퇴장	전류나 전파 등을 이용하여 먼 곳에 보내는 것
❺ 그림말	전화기, 컴퓨터 등의 장치로 보는 움직이는 영상
❻ 동영상	컴퓨터나 휴대 전화의 문자와 기호, 숫자 따위로 만든 그림 문자

5 뜻을 더하는 말 1 불(不)–

'불(不)–'은 낱말의 앞에 덧붙어 '아님.' 또는 '어긋남.'을 뜻하는 말을 만들어요.

편하다 ↔ 불- + 편하다

가능하다 ↔ 불- + 가능하다

자연스러운 문장이 되도록 '불–'을 덧붙인 낱말을 빈칸에 써 보세요.

1. 이 제품은 완전하다.

   ⇨ 이 제품은 잘 작동하지 않아 ☐☐☐하다.

2. 그는 시험에 합격했다.

   ⇨ 그는 시험을 치르지 않아 ☐☐☐했다.

3. 이 경기는 공평하다.

   ⇨ 이 경기는 양 선수의 몸무게가 달라서 ☐☐☐하다.

4. 그가 울고 있는 것이 분명하다.

   ⇨ 그가 울고 있는 것인지 웃고 있는 것인지 ☐☐☐하다.

5. 한 시간 안에 도착하는 것은 가능하다.

   ⇨ 차가 밀려서 한 시간 안에 도착하는 것은 ☐☐☐하다.

6 뜻을 더하는 말 2 -당하다

'-당하다'는 낱말의 뒤에 붙어 '원치 않는 일이나 피해를 입음.'의 뜻을 갖도록 만드는 말이에요. 의미가 맞는 특정한 낱말에만 붙을 수 있다는 점을 기억해야 해요.

배신당하다(○)
'-당하다'가 붙을 수 있음.

친절당하다(×)
'-당하다'가 붙을 수 없음.

8일
월
일

빈칸에 알맞은 낱말을 [보기]에서 찾아 써 보세요.

보기

거절 무시 배신 제지 체포 혹사

1. 믿는 사람에게 속다. → ( ) 당하다
2. 죄인으로 몰려 붙잡히다. → ( ) 당하다
3. 행동이 막혀 못하게 되다. → ( ) 당하다
4. 매우 심하게 일을 강요받다. → ( ) 당하다
5. 다른 사람에게 업신여김을 받다. → ( ) 당하다
6. 요구나 물건 등이 받아들여지지 않다. → ( ) 당하다

7 무게를 나타내는 말 근

'근'은 고기나 채소 등의 먹을 것의 무게를 재는 말이에요. 고기 한 근은 600그램이고, 채소나 과일의 한 근은 375그램이에요.

[보기]에는 무게의 단위를 나타내는 낱말 카드가 있어요. 아래 밑줄 친 부분에 쓰일 수 있는 카드를 모두 찾아 써 보세요.

❶ 포도 한 ______
소고기 한 ______
→ [고기 · 채소의 무게를 나타낼 때] □

❷ 금 한 ______
약초 한 ______
→ [귀금속 · 한약재의 무게를 나타낼 때] □, □, □

❸ 쌀 한 ______
수수 한 ______
보리 한 ______
→ [곡식의 부피를 나타낼 때] □, □, □

8 속담 말이 씨가 된다.

'말'은 잘 하면 매우 이롭지만, 잘못하면 독이 될 수도 있어요. 우리 속담에는 이러한 말의 중요성을 나타내는 속담들이 많이 있어요.

8일

다음 문장을 속담으로 만들려고 해요. 빈칸에 알맞은 낱말을 써 보세요.

1. 늘 하던 말이 사실이 될 수도 있다.

   ⇨ 말이 [ㅆ] 가 된다.

2. 말 속에 겉으로 드러나지 않은 숨은 뜻이 있다.

   ⇨ 말 속에 뜻이 있고 [ㅃ] 가 있다.

3. 말은 누구에게나 점잖고 부드럽게 해야 한다.

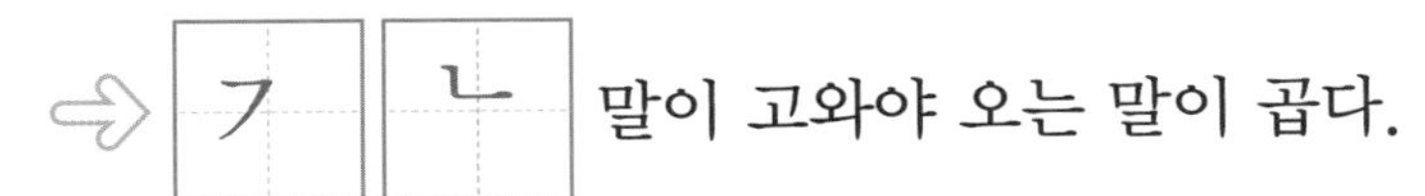

   ⇨ [ㄱ][ㄴ] 말이 고와야 오는 말이 곱다.

4. 듣는 사람이 없는 것처럼 보여도 말조심해야 한다.

   ⇨ 낮말은 [ㅅ] 가 듣고 밤말은 [ㅈ] 가 듣는다.

5. 말만 잘하면 어려운 일이나 불가능해 보이는 일도 해결할 수 있다.

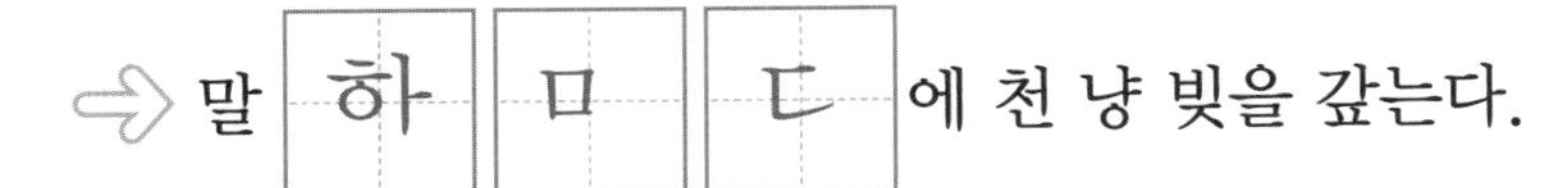

   ⇨ 말 [하][ㅁ][ㄷ] 에 천 냥 빚을 갚는다.

9 줄여 쓰는 말 암튼

'아무튼'의 준말인 '암튼'은 주로 대화를 할 때 사용해요. 준말을 쓰더라도 그 본말을 함께 알아 둘 필요가 있어요.

아무튼, 안녕히 계세요. → **암튼**, 안녕히 계세요.

다음 문장의 밑줄 친 낱말의 본말을 써 보세요.

1. 암튼, 불행 중 다행이군. → □□□
   의견이나 일의 성질, 형편, 상태 따위가 어떻게 되어 있든

2. 엊그제 우리 집에 삼촌이 다녀가셨어. → □□□□
   바로 며칠 전에

3. 요즘 줄임 말을 사용하는 사람들이 많다. → □□□
   바로 얼마 전부터 이제까지의 무렵

4. 첨에는 우리가 이렇게 친해질 줄은 몰랐어. → □□
   시간적으로나 순서상으로 맨 앞

5. 이웃집 아이가 밤새 우는 통에 잠을 못 잤어. → □□□
   밤이 지나는 동안

6. 음식을 가리지 않고 골고루 먹어야 건강해진다. → □□□□
   두루두루 빼놓지 아니하고

10 십자말풀이

가로 열쇠

1. 연극, 영화, 소설 따위에 나오는 인물
2. 긴 글을 내용에 따라 나눌 때, 하나하나의 짧은 이야기 토막. 단락
3. 공연을 하거나 영화를 상영하기 위해 설치한 건물이나 시설
4. 이모의 남편
5. 흙으로 빚어 높은 열에 구워서 만든 그릇
6. 머리, 가슴, 배의 세 부분으로 되어 있으며 몸에 마디가 많은 작은 동물

세로 열쇠

1. 출세하기 위해 거쳐야 하는 어려운 과정
2. 하나의 막으로 이루어진 짧은 연극
3. 얼굴의 생김새
4. 이야기의 한 광경을 나타내는 부분
5. 편안함에 대한 소식이나 인사
6. 모음을 나타내는 글자
7. 다른 동물에 붙어 양분을 빨아 먹고 사는 벌레

11 타교과 어휘 도덕

빈칸에 알맞은 낱말을 [보기]에서 찾아 써 보세요.

보기

공정 두레 애국 조화 협동 한마음

1. 반 친구들이 [ ]하여 교실을 깨끗하게 청소했다.
   서로 마음과 힘을 하나로 합함.

2. 우리는 학급에서 해야 할 역할을 [ ]하게 나누었다.
   공평하고 올바름.

3. 우리는 [ ]으로 우리나라 축구 대표 팀을 응원하였다.
   하나로 합친 마음

4. 국산품을 이용하는 것은 [ ]의 한 방법이라 할 수 있다.
   자기 나라를 사랑하는 것

5. 서로 잘 [ ]하려면 서로 양보하고 이해하려고 노력해야 한다.
   서로 잘 어울림.

6. 마을 사람들끼리 [ ]를 짜서 농사일을 함께 하니 힘이 덜 들었다.
   농촌에서 농사일을 함께 하려고 만든 마을 단위의 조직

빈칸에 알맞은 낱말을 써서 문장을 완성해 보세요.

1 친구는 나의 질문에 [서][ㅇ] 있게 대답해 주었다.
정성스러운 뜻

2 나는 친구와 화해할 방법을 부모님과 [ㅇ][논]하였다.
어떤 일에 대하여 서로 의견을 주고받음.

3 이번 독후감 대회에 많은 학생들이 [참][ㅇ]하였다.
어떤 일에 끼어들어 관계함.

4 우리는 모두 단군의 피를 이어받은 한 [ㄱ][ㄹ]이다.
같은 핏줄을 이어받은 민족

5 어려운 상황에 놓인 이웃을 돕는 것은 사람의 [ㄷ][ㄹ]이다.
사람이 마땅히 행해야 할 바른길

6 친구들은 내가 발표를 떨지 않고 할 수 있도록 [ㄱ][ㄹ]해 주었다.
용기나 의욕이 솟아나도록 북돋워 줌.

9일
월
일

어휘력을 높이는 확인 학습

다음 빈칸에 낱말을 넣어 문장을 완성하세요.

비방

남을 헐뜯어서 말함.

예 남을 □□하는 글은 강제로 삭제될 수 있다.

배신

믿어 주는 사람을 속임.

예 믿었던 친구에게 □□을 당하니 무척 화가 난다.

반박

남의 의견의 틀린 데를 가리키고 공격함.

예 그는 상대방의 주장에 대해 근거를 들어 □□했다.

애국

자기 나라를 사랑하는 것

예 그는 전쟁터에서 죽는 순간까지 □□을 부르짖었다.

반응

어떤 자극에 대해 생기는 동작이나 태도

예 나는 친구의 말을 들을 때 고개를 끄덕이며 □□을 했다.

출처

사물이나 말 따위가 처음 생겨난 곳

예 자료를 다른 데에서 가져 왔으면 반드시 □□를 밝혀야 한다.

그림말

컴퓨터나 휴대 전화의 문자와 기호, 숫자 따위로 만든 그림 문자

예 나는 친구들과 채팅을 할 때 □□□을 많이 사용한다.

마무리

어떤 일이나 행동을 잘 끝내는 것

예 날이 저물어 가니 모두 하던 일을 □□□하도록 하세요.

혹사	매우 심하게 일을 시킴. 예 몸을 □□하면 건강을 잃을 수 있다.
제지	행동을 막고 못하게 함. 예 나랑 동생이랑 싸우는 것을 형이 □□했다.
단막극	하나의 막으로 이루어진 짧은 연극 예 은정이는 □□□에서 주인공 역할을 맡았다.
공정	공평하고 올바름. 예 우리는 □□하게 청소할 구역을 나누었다.
성의	정성스러운 뜻 예 그 간호사는 □□를 다해 환자들을 보살폈다.
체포	죄인이나 죄를 저지른 의심이 있는 사람을 붙잡는 것 예 범인은 범행 현장에서 경찰에게 □□되었다.
경청	남의 말을 주의하여 들음. 예 다른 친구의 발표를 들을 때에는 □□을 해야 한다.
격려	용기나 의욕이 솟아나도록 북돋워 줌. 예 선생님께서 시험을 앞둔 나를 □□해 주셨다.

4장 이야기 속 세상

국어 교과서 110~151쪽

1 주제별 어휘 옷

'한복'은 우리나라 고유의 옷으로 주로 조선 시대에 입던 옷의 형태예요. 요즈음은 보통 명절이나 집안의 행사 등에 주로 입어요.

다음 뜻에 알맞은 낱말을 [보기]에서 찾아 써 보세요.

보기

모시　소매　마름질　옷자락　저고리

1. 한복의 윗옷 → ☐
2. 윗옷의 양팔을 감싸는 부분 → ☐
3. 옷의 아래로 내려져 늘어진 부분 → ☐
4. 모시풀 껍질로 실을 짜서 만든 빳빳한 천 → ☐
5. 옷을 만들기 위해 옷감을 재거나 자르는 일 → ☐

2 잘못 쓰기 쉬운 말 찌개

우리가 자주 먹는 음식인 '찌개'를 '찌게'로 잘못 쓰는 경우가 많이 있어요. 이처럼 잘못 쓰기 쉬운, 다른 음식의 이름들도 정확하게 익혀 두도록 해요.

찌개
찌게(×)

삼계탕
삼개탕(×)

다음 문장에서 밑줄 친 낱말을 알맞게 고쳐 써 보세요.

1. 동생은 밥에 들어간 강남콩을 골라내었다. → [ ]

2. 여름에는 보양식으로 삼개탕을 많이 먹는다. → [ ]
   어린 닭의 내장을 빼내고 인삼 · 찹쌀 · 대추 등을 넣어 삶은 음식

3. 육계장이 너무 매워서 찬물을 계속 들이켰다. → [ ]
   쇠고기를 잘게 뜯어 넣고 갖은 양념으로 얼큰하게 만든 음식

4. 할머니께서 달짝지근한 식해를 만들어 주셨다. → [ ]
   우리나라 전통 음료의 하나

5. 나는 엄마의 요리 중에 김치찌게가 제일 맛있다. → [ ]

6. 어머니는 흐트러진 이불을 개어 장농 속에 넣었다. → [ ]
   옷, 이불 등을 넣어 두는 한국식 가구

3 뜻을 더하는 말 -투성이

'-투성이'는 다른 낱말의 뒤에 붙어서 '그것이 너무 많은 상태'임을 나타내는 말로, 혼자서는 쓰일 수 없어요.

창고가 온통 먼지**투성이**다.
너무 많은 상태

✎ 주어진 뜻을 참고하여 빈칸에 알맞은 낱말을 써 보세요.

-투성이	'그것이 너무 많은 상태'의 뜻을 더하는 말

1. 그는 구겨져 [ ] 가 된 옷을 입고 있다.
   온통 주름이 진 상태

2. 축구를 하다가 넘어져서 다리가 온통 [ ] 가 되었다.
   온통 상처가 난 상태

-치레	'치러 내는 일'의 뜻을 더하는 말
	'겉으로만 꾸미는 일'의 뜻을 더하는 말

3. 마지못해 [ ] 로 방문했다.
   성의 없이 겉으로만 하는 인사

4. [ ] 만 번지르르하지 실속이 없다.
   겉만 보기 좋게 꾸며 드러냄.

5. 명절마다 엄마는 친척 [ ] 로 바쁘시다.
   손님을 대접하여 치르는 일

4 바꿔 쓸 수 있는 말 1 고꾸라지다

'고꾸라지다'는 '앞으로 고부라져 쓰러지다.'라는 뜻으로 '넘어지다'와 비슷한 의미를 갖고 있어요. 두 낱말은 상황에 따라 서로 바꿔 쓸 수 있어요.

발에 걸려 [고꾸라질 / 넘어질] 뻔했다.
바꿔 쓸 수 있음.

밑줄 친 낱말과 바꿔 쓸 수 있는 낱말을 [보기]에서 찾아 써 보세요.

보기

궁상맞다 메스껍다 쉬쉬하다 지루하다 고꾸라지다 받아넘기다

1. 아이가 빙판에 미끄러져 넘어지다. → (   )
2. 주말인데 딱히 할 일이 없어서 무료하다. → (   )
   흥미 있는 일이 없어 심심하다.
3. 엄마에게 혼이 날까 두려워서 사실을 숨기다. → (   )
4. 피곤해서 동생이 놀자는 말에 성의 없이 대꾸하다. → (   )
   남의 말을 듣고 반응하여 말을 하다
5. 오랜 기간 계속된 여행으로 그는 옷차림이 초라하다. → (   )
   겉모양이나 옷차림이 허술하고 보잘것없다.
6. 여행 내내 기름진 음식만 먹었더니 속이 느글거린다. → (   )
   먹은 것이 내려가지 않고 넘어올 듯 속이 느끼하다.

5 바꿔 쓸 수 있는 말 2 달인

'달인'은 '어떠한 분야에서 남달리 뛰어난 재능을 가진 사람'을 이르는 말이에요. '달인'은 이와 비슷한 뜻을 가진 '고수'와 서로 바꿔 쓸 수 있어요.

그는 퀴즈의 [달인 / 고수]이다.
바꿔 쓸 수 있음.

밑줄 친 낱말과 바꿔 쓸 수 있는 낱말을 써 보세요.

1. 영수와 나는 둘도 없는 친구이다. → ㄷ 무
   친구: 가깝게 오래 사귄 사람

2. 우리 할아버지는 바둑의 달인이시다. → ㄱ 수
   달인: 어떠한 분야에서 남달리 뛰어난 재능을 가진 사람

3. 나는 바다가 보이는 마을에서 태어났다. → ㄱ 을
   마을: 시골의 여러 집이 모여 사는 곳

4. 우리 동네에는 작은 가게들이 많이 있다. → 사 저
   가게: 물건을 파는 집

5. 선거는 국민의 심판을 기다리는 절차이다. → ㅍ 결
   심판: 어떤 일이나 문제에 대해 잘잘못을 가려 결정하는 일

6. 할머니는 텃밭에 상추, 오이 등의 채소를 기르신다. → ㅇ ㅊ
   채소: 밭에서 기르는 농작물

6 바꿔 쓸 수 있는 말 3 얼큰하다

'매워서 입안이 얼얼하다.'라는 뜻을 가진 '얼큰하다'는 비슷한 뜻을 가진 '매콤하다', '맵다' 따위의 말들과 바꿔 쓸 수 있어요. 이처럼 우리말은 비슷한 뜻을 가진 말들을 통해 다양하게 표현할 수 있어요.

국물이 [얼큰하다 / 매콤하다 / 맵다].
바꿔 쓸 수 있음.

11일
월
일

밑줄 친 낱말과 바꿔 쓸 수 있는 낱말을 써 보세요.

1

텃밭에 배추와 상추를 키우다.
식물 등을 손질하고 살피다.

2

고추를 넣어 순두부찌개가 맵다.

3

우리나라의 여름 날씨는 뜨겁다.

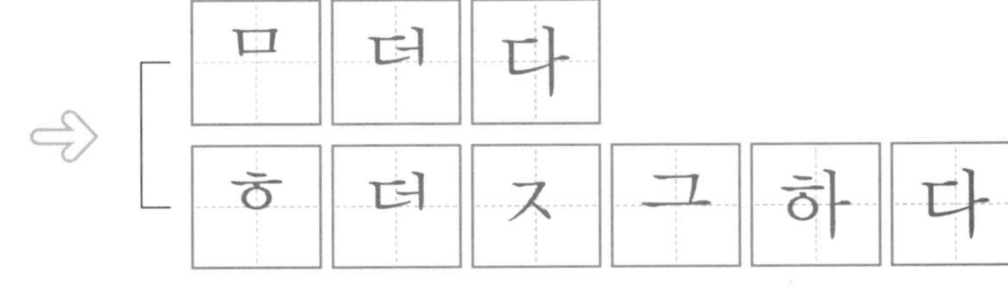

7 꾸며 주는 말 금세

'금세'는 '지금 바로'라는 뜻을 가진 낱말로 다른 말을 꾸며서 의미를 강조하거나 덧붙이는 역할을 해요.

소문이 금세 퍼졌다.
꾸며 줌.

빈칸에 알맞은 낱말을 [보기]에서 찾아 써 보세요.

보기

금세　여태　진탕　흠씬　흡사　하마터면

1. 친구들과 (　　　) 놀다 보니 캄캄한 밤이 되었다.
싫증이 날 만큼 아주 많이

2. 수목원에 와서 맑은 공기를 (　　　) 들이마셨다.
꽉 차고 남을 만큼 넉넉하게

3. 아빠가 그렇게 질투하시는 걸 (　　　) 본 적이 없다.
지금까지

4. 화재로 큰 피해를 입은 곳은 (　　　) 전쟁터 같았다.
거의 같을 정도로 비슷한 모양

5. 늦잠을 자는 바람에 (　　　) 학교에 지각할 뻔했다.
조금만 잘못하였더라면

6. 동생은 배가 고팠던지 그 많은 빵을 (　　　) 먹어 치웠다.
지금 바로

8 헷갈리기 쉬운 말 바라다/바래다

'바라다'는 '어떤 일이 이루어지기를 기대하다.'라는 뜻이고, '바래다'는 '색이 희미해지거나 누렇게 변하다.'라는 뜻이에요. 두 말은 헷갈리기 쉬우므로 쓰임을 잘 알아 두도록 해요.

나의 성공을 **바라다**.
바래다(×)

벽지의 색이 **바래다**.
바라다(×)

주어진 뜻을 참고하여 문장에 어울리는 낱말을 찾아 ○표 하세요.

매다	끈이나 줄의 두 끝을 서로 묶다.
메다	어떤 감정이 북받쳐 목소리가 잘 나지 않다.

1. 나는 너무 슬퍼서 목이 (매었다 / 메었다).

2. 운동화의 끈을 단단하게 (매었다 / 메었다).

3. 한복을 입고 옷고름을 예쁘게 (매었다 / 메었다).

바라다	어떤 일이 이루어지기를 기대하다.
바래다	색이 희미해지거나 누렇게 변하다.

4. 오래된 종이가 누렇게 (바랐다 / 바랬다).

5. 건강하게 오래오래 사시기를 (바라요 / 바래요).

6. 나는 시험에 합격하기를 간절히 (바랐다 / 바랬다).

7. 오래 입은 티셔츠가 흐릿하게 색이 (바랐다 / 바랬다).

9 단위를 나타내는 말 켤레, 벌

'켤레'와 '벌'은 물건을 세는 단위로 쓰여요. '켤레'는 신발, 양말 등 짝이 되는 두 개를 하나로 세는 단위이며, '벌'은 옷이나 그릇 등이 두 개 이상 모여 갖추어진 덩이를 세는 단위예요.

신발 한 **켤레** (좌우 한 쌍)

옷 한 **벌** (위아래 한 세트)

다음 설명에 알맞은 물건을 세는 단위를 [보기]에서 찾아 써 보세요.

보기

단 첩 손 사리

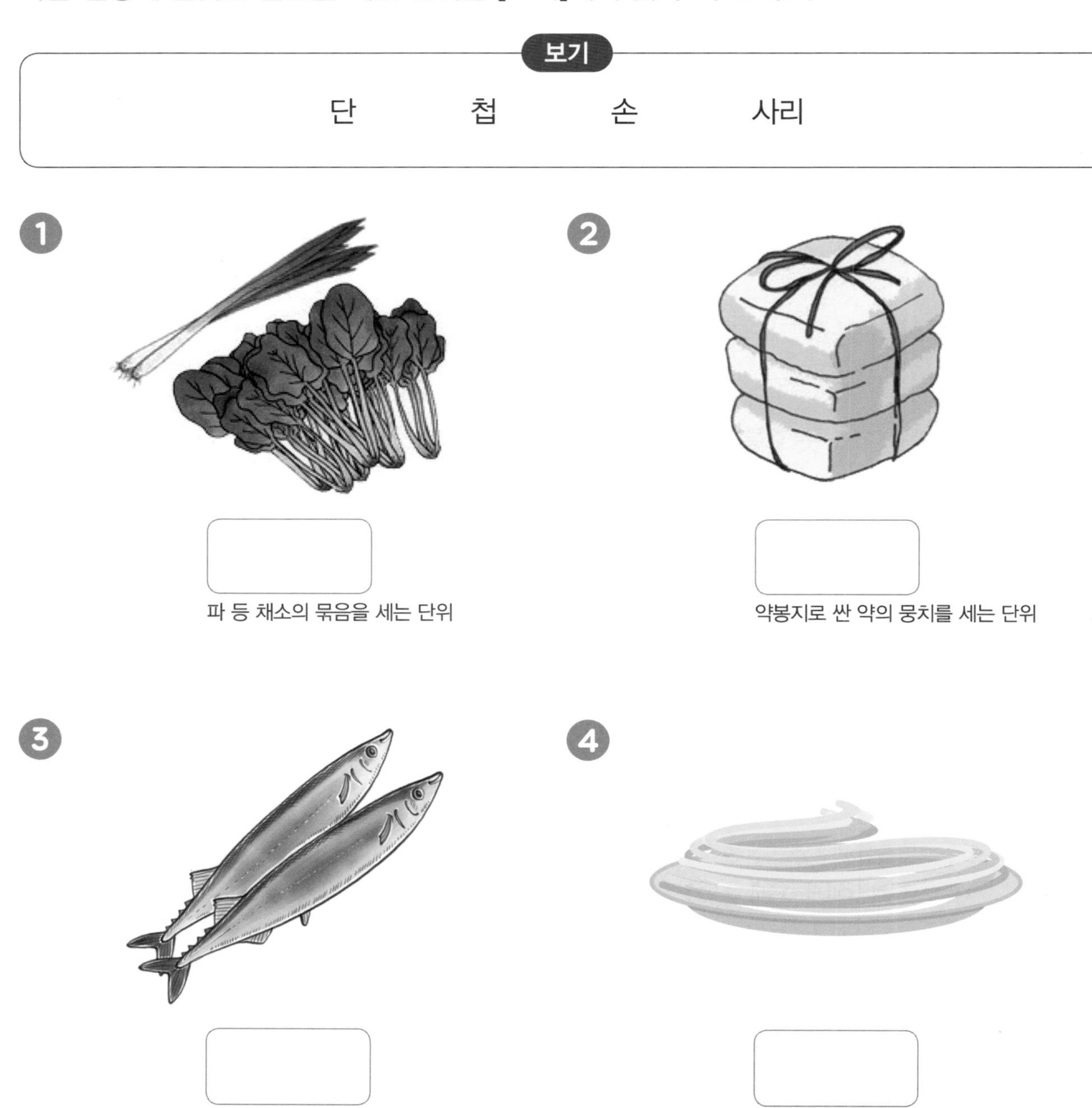

1. 파 등 채소의 묶음을 세는 단위
2. 약봉지로 싼 약의 뭉치를 세는 단위
3. 고등어, 조기 등을 세는 단위. 2마리
4. 국수, 실 등의 뭉치를 세는 단위

10 성격을 나타내는 말 경솔하다

말이나 행동이 조심성 없이 가벼울 때, '경솔하다'라고 말해요. 이와 같은 낱말들은 사람의 성격을 나타내는 말로 쓰여요.

형은 덩치는 크지만 소심하다.
대담하지 못하고 조심성이 지나치게 많다.

12일 (월 일)

밑줄 친 말과 바꿔 쓸 수 있는 낱말을 [보기]에서 찾아 써 보세요.

보기

의롭다 경솔하다 꼼꼼하다 미련하다 정직하다

1. 언니는 모든 일에 빈틈이 없이 차분하고 조심스럽다. → ( )

2. 음식을 억지로 먹는 걸 보니 그는 어리석고 둔하다. → ( )

3. 어려운 사람을 돕는 민철이는 도덕적으로 바르고 옳다. → ( )

4. 자신의 잘못을 고백하는 혁수는 마음에 거짓이 없이 바르고 곧다. → ( )

5. 사소한 실수를 자주 하는 그는 말이나 행동이 조심성 없이 가볍다. → ( )

11 타교과 어휘 수학

그림을 참고하여 낱말에 알맞은 뜻을 찾아 연결하세요.

1. 

2. 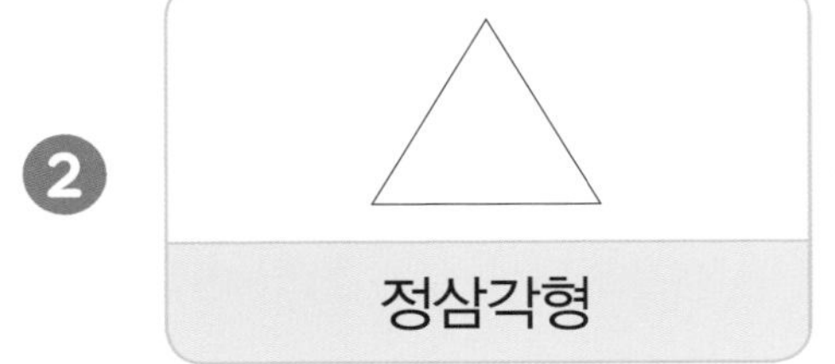

3. 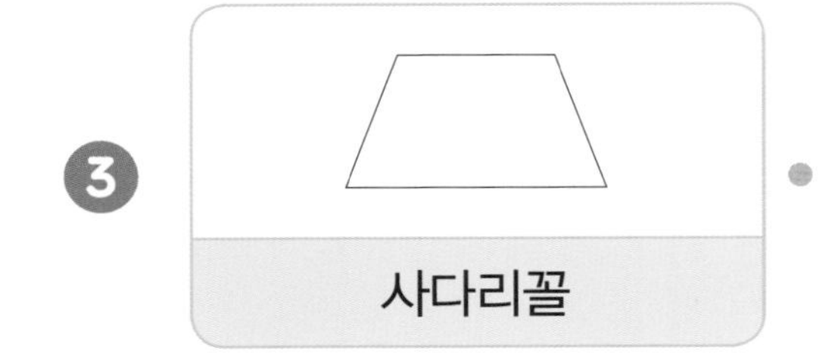

4. 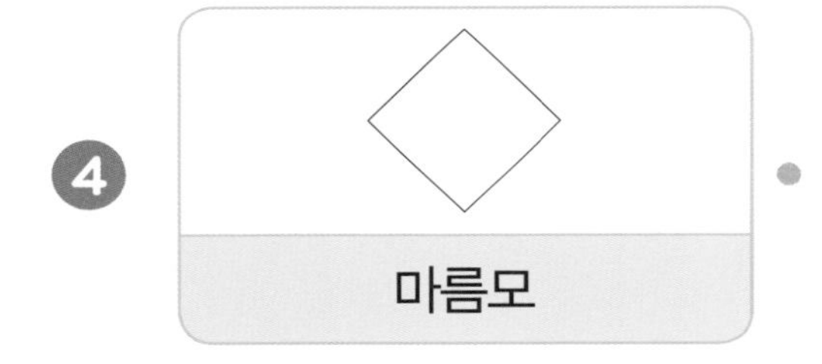

5. 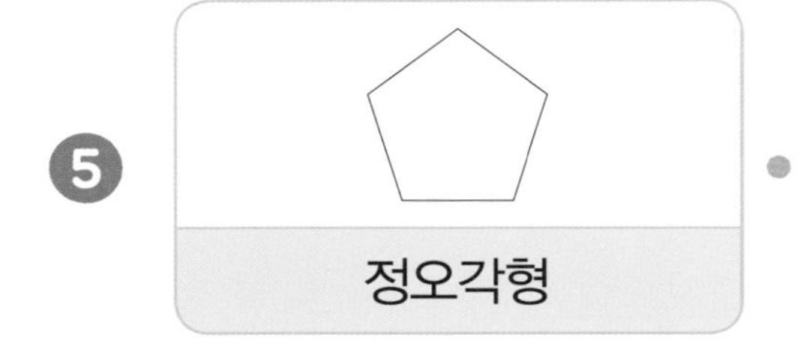

6. 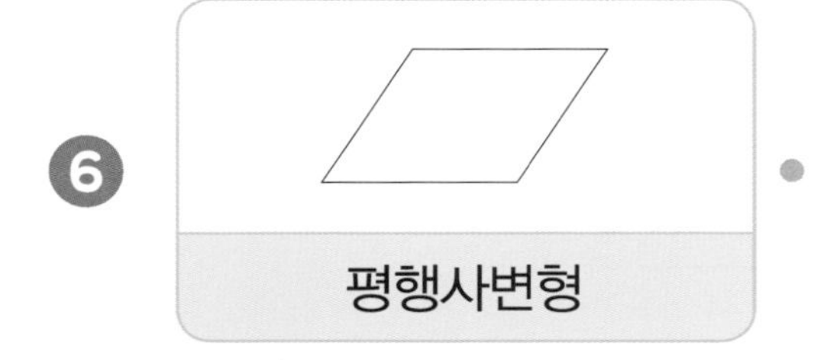

- 두 변의 길이가 같은 삼각형
- 세 변의 길이가 같은 삼각형
- 네 변의 길이가 모두 같은 사각형
- 평행한 변이 한 쌍이라도 있는 사각형
- 마주 보는 두 쌍의 변이 서로 평행한 사각형
- 변의 길이와 내각의 크기가 모두 같은 오각형

빈칸에 알맞은 낱말을 [보기]에서 찾아 써 보세요.

보기

수직 평행 그래프 다각형 대각선 수직선

12일

월

일

1. 바닥과 건물의 기둥은 서로 ☐이다.

두 직선이 만나서 이루는 각이 직각을 이루는 두 직선

2. ☐에서는 오른쪽으로 갈수록 수가 커진다.

일정한 간격으로 눈금을 표시하여 수를 대응시킨 직선

3. 청룡 열차를 만들 때 두 철로는 ☐으로 만들었다.

서로 만나지 않는 두 직선

4. 사각형에 ☐을 1개 그으면 삼각형 2개가 만들어진다.

서로 이웃하지 않는 두 꼭짓점을 이은 선분

5. ☐은 선분의 수에 따라 삼각형, 사각형, 오각형 등으로 나뉜다.

선분으로만 둘러싸인 도형

6. ☐를 통해 강수량이 시간에 따라 어떻게 변했는지 살펴보았다.

자료를 분석하여 그 변화를 한눈에 볼 수 있도록 나타내는 직선이나 곡선

어휘력을 높이는 확인 학습

다음 빈칸에 글자를 넣어 낱말을 완성하세요.

1 상□투□이	온통 상처가 난 상태
2 진□	싫증이 날 만큼 아주 많이
3 □매	윗옷의 양팔을 감싸는 부분
4 손□치□	손님을 대접하여 치르는 일
5 무□하다	흥미 있는 일이 없어 심심하다.
6 인□치□	성의 없이 겉으로만 하는 인사
7 주□투□이	온통 주름이 진 상태
8 마□질	옷을 만들기 위해 옷감을 재거나 자르는 일
9 초□하다	겉모양이나 옷차림이 허술하고 보잘것없다.
10 대□하다	남의 말을 듣고 반응하여 말을 하다.

정답 1. 처, 성 2. 탕 3. 소 4. 님, 레 5. 료 6. 사, 레 7. 름, 성 8. 름 9. 라 10. 꾸

11 금☐	지금 바로
12 미☐하다	어리석고 둔하다.
13 ☐롭다	도덕적으로 바르고 옳다.
14 평☐	서로 만나지 않는 두 직선
15 다☐형	선분으로만 둘러싸인 도형
16 ☐사	거의 같을 정도로 비슷한 모양
17 꼼☐하다	빈틈이 없이 차분하고 조심스럽다.
18 ☐솔하다	말이나 행동이 조심성 없이 가볍다.
19 ☐직	직선과 평면 따위가 서로 만나 직각을 이루는 상태
20 그☐프	자료를 분석하여 그 변화를 한눈에 볼 수 있도록 나타내는 직선이나 곡선

정답 11. 세 12. 련 13. 의 14. 행 15. 각 16. 흡 17. 꼼 18. 경 19. 수 20. 래

5장 의견이 드러나게 글을 써요

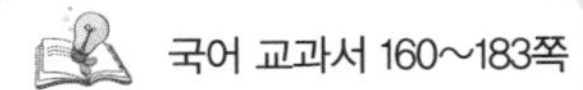

1 문장의 짜임

문장의 짜임을 알면 문장을 이해하는 데 도움이 돼요. 문장의 기본 짜임인 '누가/무엇이+어찌하다'에서 '어찌하다'는 움직임을 나타내고 '누가/무엇이+어떠하다'에서 '어떠하다'는 성질이나 상태를 나타내요.

누가/무엇이 + **무엇이다/어찌하다/어떠하다**

주어 부분 / 서술어 부분

[보기]와 같이 문장을 두 개의 기본 짜임으로 나누어 보세요.

보기

무엇이 + 어떠하다 → 원숭이의 엉덩이가 / 빨갛다.

1. 무엇이 + 무엇이다 ⇨ 저 과일은 노란 바나나이다.
2. 무엇이 + 어떠하다 ⇨ 노란 바나나는 길이가 매우 길다.
3. 무엇이 + 무엇이다 ⇨ 길이가 긴 것은 철도를 달리는 기차이다.
4. 무엇이 + 어떠하다 ⇨ 철도를 달리는 기차는 속도가 엄청 빠르다.
5. 무엇이 + 어찌하다 ⇨ 속도가 엄청 빠른 비행기가 푸른 하늘을 난다.

2 뜻이 반대인 말 칭찬/질책

'칭찬'은 '좋은 점이나 착한 점 따위를 높이 평가함.'의 뜻이고, '질책'은 '잘못을 엄하게 나무람.'의 뜻이에요. 따라서 '칭찬'과 '질책'은 서로 반대말이에요.

선생님께 **칭찬**을 받았다. 선생님께 **질책**을 받았다.

밑줄 친 말과 뜻이 반대인 낱말을 써 보세요.

1. 그는 나이에 비해 성숙해 보인다. → ㅁ 수
   몸과 마음이 자라서 어른스럽게 됨.

2. 물건을 너무 싸게 팔아서 손해를 보았다. → ㅇ 이
   돈, 재산 등을 잃거나 정신적으로 해를 입음.

3. 온 동네가 철수에 대한 칭찬으로 떠들썩했다. → ㅈ 채
   좋은 점이나 착한 점 따위를 높이 평가함.

4. 나는 사람의 겉모습보다 내면을 중요하게 생각한다. → ㅇ 며
   밖으로 드러나지 않는 속의 모습

5. 선주는 평범한 이야기도 재미있게 만드는 재주가 있다. → ㅌ ㅂ
   뛰어나거나 색다른 점이 없이 보통임.

6. 우리 반은 화합이 잘되어 학교 체육 대회에서 우승했다. → 가 ㄷ
   사이좋게 어울림.

3 뜻이 여러 가지인 말 팔다

'팔다'는 '돈을 받고 물건을 넘기다.'라는 뜻 외에도 '주의를 다른 데로 돌리다.'라는 뜻을 가지고 있어요.

점원이 가게에서 물건을 **팔다**.
돈을 받고 물건을 넘기다.

아이들이 다른 데 정신을 **팔다**.
주의를 다른 데로 돌리다.

밑줄 친 낱말에 알맞은 뜻을 찾아 연결하세요.

1. 친구들끼리 만나 서로 즐겁게 어울리다. • • 사귀어 잘 지내다.
2. 새로 산 윗옷과 바지가 서로 어울리다. • • 서로 조화를 이루다.

3. 오래된 책을 헌책방에 팔다. • • 주의를 다른 데로 돌리다.
4. 공부에 집중하지 않고 다른 곳에 정신을 팔다. • • 돈을 받고 물건을 넘기다.

5. 비가 많이 와서 강물이 넘치다. • • 가득 차서 밖으로 흘러나오거나 밀려나다.
6. 그의 얼굴에 자신감이 가득 넘치다. • • 느낌이나 기운이 정도를 벗어나도록 강하게 일어나다.

4 속담 빈 수레가 요란하다.

속담은 예로부터 전해 오는 말로 소중한 교훈을 담고 있어요. 속담을 사용하면 설명하기 복잡한 상황을 간결하게 표현할 수 있고 말하고자 하는 바를 분명하게 전달할 수 있어요.

다음 속담의 빈칸에 알맞은 낱말을 써 보세요.

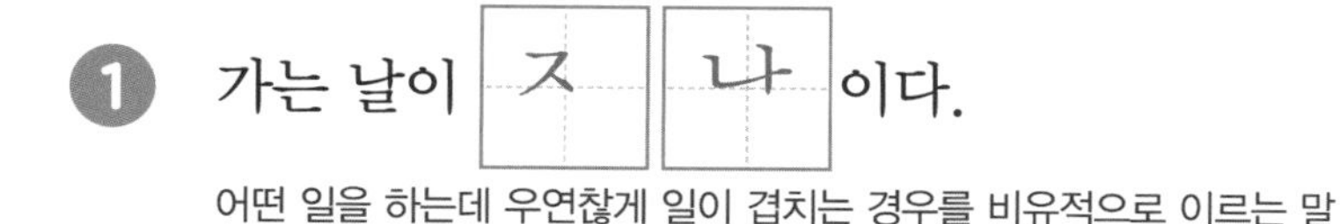

어떤 일을 하는데 우연찮게 일이 겹치는 경우를 비유적으로 이르는 말

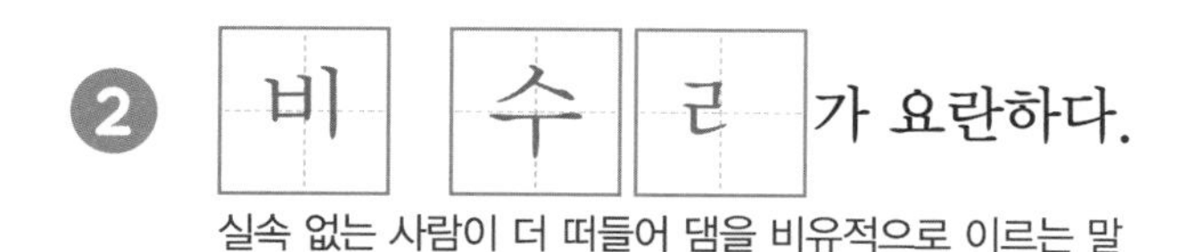

실속 없는 사람이 더 떠들어 댐을 비유적으로 이르는 말

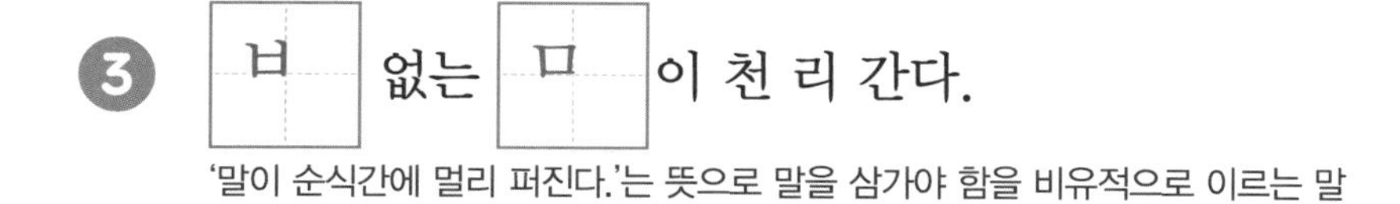

'말이 순식간에 멀리 퍼진다.'는 뜻으로 말을 삼가야 함을 비유적으로 이르는 말

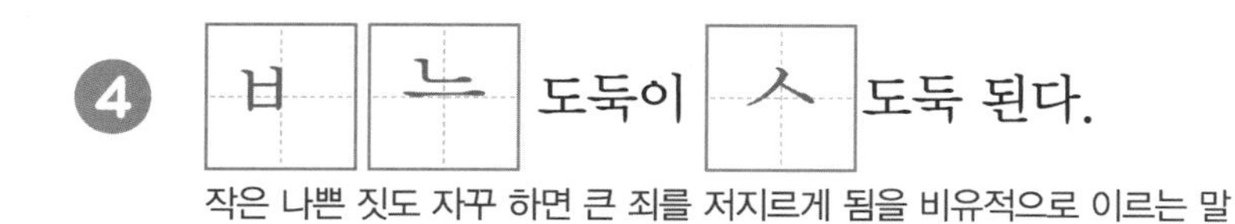

작은 나쁜 짓도 자꾸 하면 큰 죄를 저지르게 됨을 비유적으로 이르는 말

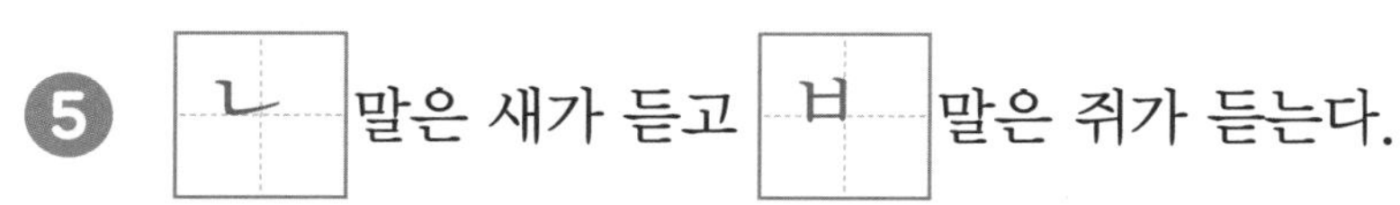

❺ ㄴ 말은 새가 듣고 ㅂ 말은 쥐가 듣는다.

아무도 안 듣는 데서라도 말조심해야 함을 비유적으로 이르는 말

5 방언 부치기

'기름에 부쳐서 먹는 빈대떡'의 표준어는 '부침개'예요. 그런데 부침개를 이르는 말은 '부치기', '누리미'처럼 지방에 따라 조금씩 다를 수 있어요. 방언을 사용하면 같은 지역 사람들끼리 서로 가까운 느낌이 들게 하지요.

나는 점심에 **부치기**를 먹었다.
부침개의 방언

나는 점심에 **누리미**를 먹었다.
부침개의 방언

밑줄 친 방언의 알맞은 표준어를 써 보세요.

1. 나는 콩주름으로 끓인 국을 좋아한다. → 코 ㄴ 무
   제주도 방언. 콩에 물을 주어 뿌리가 자라게 한 먹을거리

2. 우리 오마니는 젊어서 고생을 많이 하셨지요. → 어 ㅁ ㄴ
   평안도 방언

3. 친구들과 함께 개천에서 올갱이를 잡으며 놀았다. → ㄷ 스 ㄱ
   강원도, 충청도 방언. 맑은 개울에 사는 작은 고둥

4. 우리 할매는 나를 귀여운 똥강아지라고 부르신다. → 하 ㅁ ㄴ

5. 새로 태어난 강생이가 어미를 닮아 털색이 예쁘다. → 가 ㅇ ㅈ
   경상도, 전라도 방언. 개의 새끼

6. 우리 집은 감자를 갈아서 부치기를 자주 해 먹는다. → ㅂ 치 ㄱ

6 주제별 어휘 옛 물건

옛날에는 가정에서 일상적으로 사용했지만 요즘에는 쉽게 보기 어려운 물건들이 있어요. 이러한 옛 물건들에는 조상들의 생활 속 지혜가 담겨 있지요.

그림에 알맞은 낱말을 [보기]에서 찾아 써 보세요.

보기

키　　병풍　　광주리　　아궁이

❶

집 안의 장식을 겸하여 무엇을
가리거나 바람을 막기 위해 세우는 물건

❷

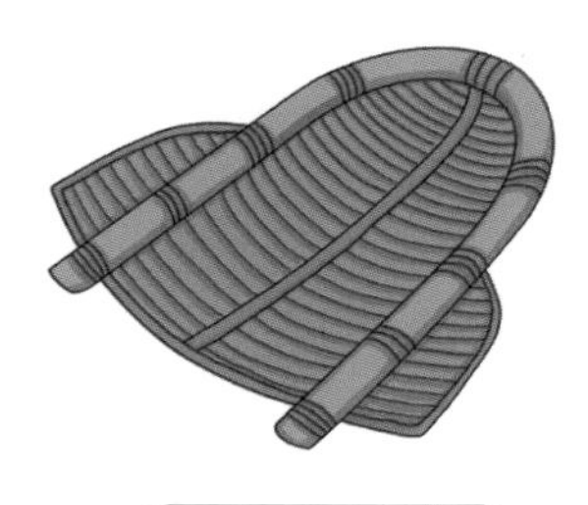

곡식에 섞여 있는 이물질이나
겨 등을 날려 버리는 기구

❸

대나무, 버들 등으로 둥글게 만든 그릇

❹

방을 따뜻하게 하거나
솥에 음식을 끓이기 위해 만든 구멍

7 낱말 퀴즈

문장에 섞여 있는 글자 카드의 순서를 알맞게 하여 써 보세요.

1. 우리나라는 외국인 민 이 자가 점점 늘어나고 있다.
   자기 나라를 떠나서 다른 나라로 가서 사는 사람
   → □□□

2. 그는 정확한 내용을 자 담 당에게 전화해서 알아보았다.
   어떤 일을 맡아서 하는 사람
   → □□□

3. 물 념 연 기 천은 우리 모두가 아끼고 보호해야 한다.
   매우 중요하여 법으로 정하여 보호하기로 한 자연물
   → □□□□□

4. 여러 나라 학생이 모이는 학교는 다 화 문를 체험할 수 있다.
   한 사회 안에 여러 민족이나 나라의 문화가 섞여 있는 것
   → □□□

5. 진 국 선과 경쟁을 하려면 그들 수준의 기술력을 가져야 한다.
   다른 나라보다 정치, 경제, 문화 등의 발달이 앞선 나라
   → □□□

빈칸에 알맞은 낱말을 써서 문장을 완성해 보세요.

1 그는 이웃들에게 [ㅅ][ㅇ]를 당했다.

어떤 무리에서 멀리하거나 따돌림.

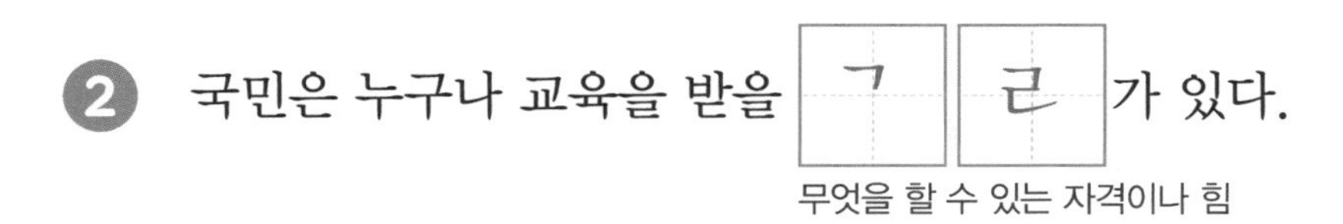

2 국민은 누구나 교육을 받을 [ㄱ][ㄹ]가 있다.

무엇을 할 수 있는 자격이나 힘

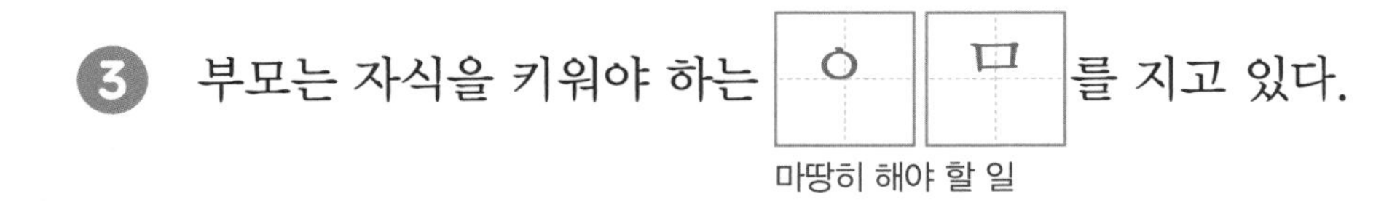

3 부모는 자식을 키워야 하는 [ㅇ][ㅁ]를 지고 있다.

마땅히 해야 할 일

4 감자전은 역시 [ㅌ][ㅈ] 감자로 만들어야 제맛이다.

원래부터 그곳에서 나는 종자

5 아무리 [ㄱ][ㄹ]를 해도 좋은 방법이 떠오르지 않았다.

마음속으로 이리저리 깊이 생각함.

6 가난한 나라 [추][ㅅ]이라고 사람을 무시해서는 안 된다.

출생 당시 가정이 속한 사회적 신분

8 주제별 어휘 물

강, 호수, 바다, 지하수 등의 형태로 자연에 존재하는 물은 우리의 생활에 많은 이로움을 가져다주어요. 하지만 잘못 관리하면 큰 피해를 발생시키기도 해요.

다음 빈칸에 알맞은 낱말을 써 보세요.

1. 어젯밤 [ㅍ][ㅇ]로 강물이 엄청 불어났다.
   갑자기 세차게 쏟아지는 비

2. 작년 여름에는 [ㅎ][ㅅ]가 나서 많은 수재민이 발생했다.
   비가 많이 와서 강이 갑자기 크게 불은 물

3. 이번 집중 [ㅎ][ㅇ]로 한강 물이 급격하게 불어났다.
   한꺼번에 많이 오는 비

4. 농사철에 부족한 물은 [ㄷ]에 가두어 놓은 물로 해결할 수 있다.
   강물을 막아 두기 위하여 쌓은 언덕

5. 가뭄으로 물이 크게 부족하자 산동네 사람들은 [ㅁ][나][ㄹ]를 겪었다.
   많은 물이 넘치거나 물이 모자라서 일어나는 혼란스러운 상황

9 올바른 발음 미적[미쩍]

'어떤 성격을 띠는', '그에 관계된', '그 상태로 된'의 뜻을 더하는 '-적'은 [적]으로 발음되는 경우와 [쩍]으로 발음되는 경우가 있어요.

공적[공쩍] 두 글자일 때	'ㅁ음, ㄴ, ㅁ, ㅇ' 뒤 신체적[신체적] 세 글자 이상일 때	'모음, ㄴ, ㅁ, ㅇ'을 제외한 받침 뒤 전국적[전국쩍] 세 글자 이상일 때

15일 월 일

밑줄 친 낱말의 알맞은 발음을 찾아 ○표 하세요.

1. 가급적이면 빨리 갔으면 좋겠다. (가급적: 할 수 있는 대로) → [가:급적] [가:급쩍]

2. 신체적 건강만큼 정신적 건강도 중요하다. (정신적: 정신에 관계되는) → [정신적] [정신쩍]

3. 그 가게는 이번 화재로 물질적 피해를 입었다. (물질적: 물질과 관련된) → [물찔적] [물찔쩍]

4. 이모는 미대를 나와서 미적 감각이 뛰어나다. (미적: 사물의 아름다움에 관한) → [미:적] [미:쩍]

5. 우리 모두 영수의 의견에 전적으로 동의했다. (전적: 남김없이 모두 다) → [전적] [전쩍]

6. 우리 집은 역 앞이라 비교적 교통이 편하다. (비교적: 다른 것과 견주어서) → [비:교적] [비:교쩍]

10 타교과 어휘 사회

밑줄 친 낱말에 알맞은 뜻을 찾아 연결하세요.

❶	이 기업의 제품은 가격도 싸고 품질도 뛰어나다.	• •	물건의 성질과 바탕
❷	모든 농산물에는 반드시 원산지를 표기해야 한다.	• •	어떤 물건이 생산된 곳
❸	그 작가의 작품은 찾는 사람이 많아 희소성이 높다.	• •	어떤 지역에서 특별하게 생산되는 물품
❹	우리 가족은 여행을 가면 그 지역의 특산물을 꼭 사온다.	• •	일정 기간 동안에 정해진 일을 하고 그 대가로 받는 수입
❺	최근 건강에 대한 관심이 높아지면서 과일 소비가 크게 늘었다.	• •	사람들이 원하는 것에 비해 그것이 매우 드물거나 부족한 상태
❻	대부분의 가정에서는 생산 활동을 통해 얻은 소득으로 살림을 꾸려 나간다.	• •	물건이나 시설 등을 이용하거나 써서 없애는 것

빈칸에 알맞은 낱말을 써서 문장을 완성해 보세요.

1. 큰 재래시장에 가면 물건을 [ㄷ][매]로 판다.

   물건을 낱개로 팔지 않고 한데 묶어서 파는 것

2. 깨지기 쉬운 제품은 [우][ㅂ]에 주의를 기울여야 한다.

   물건 등을 옮겨 나름.

3. 우리 회사는 그 회사와 [혀][ㅇ]하여 기술을 교환하기로 했다.

   단체와 개인 또는 단체와 단체 사이에 약속을 맺음.

4. 이 공장은 새로운 기술을 사용하면서 상품의 [새][ㅅ]이 크게 늘었다.

   인간이 생활하는 데 필요한 여러 물건을 만들어 냄.

5. 이 농가에서는 젖소로부터 얻은 우유를 유제품 회사에 [고][ㄱ]하고 있다.

   요구나 필요에 따라 물품을 마련해 줌.

6. 이 농산물은 산지에서 [지][거][ㄹ]하여 신선하고 가격도 저렴하다.

   물건을 팔 사람과 살 사람이 중간 상인을 거치지 않고 직접 거래함.

어휘력을 높이는 확인 학습

다음 빈칸에 낱말을 넣어 문장을 완성하세요.

선진국

다른 나라보다 정치, 경제, 문화 등의 발달이 앞선 나라

예 ☐☐☐은 다른 나라들의 본보기가 된다.

궁리

마음속으로 이리저리 깊이 생각함.

예 나는 한참을 ☐☐한 끝에 좋은 방법이 떠올랐다.

화합

사이 좋게 어울림.

예 가족끼리 ☐☐하면 어려운 일도 잘 견뎌 낼 수 있다.

내면

밖으로 드러나지 않는 속의 모습

예 겉모습도 중요하지만 진짜 중요한 것은 ☐☐의 모습이다.

소외

어떤 무리에서 멀리하거나 따돌림.

예 나는 텔레비전을 안 봐서 친구들 간의 대화에서 ☐☐되었다.

다문화

한 사회 안에 여러 민족이나 나라의 문화가 섞여 있는 것

예 여러 나라 학생이 모이는 학교는 ☐☐☐를 체험하기 좋다.

폭우

갑자기 세차게 쏟아지는 비

예 갑작스러운 ☐☐로 농민들이 정성껏 키운 농작물이 떠내려갔다.

천연기념물

매우 중요하여 법으로 정하여 보호하기로 한 자연물

예 ☐☐☐☐☐은 절대로 함부로 잡아서는 안 된다.

권리

무엇을 할 수 있는 자격이나 힘

예 모든 인간은 인간답게 살아갈 □□가 있다.

원산지

어떤 물건이 생산된 곳

예 바나나는 열대 지역이 □□□이다.

비교적

다른 것과 견주어서

예 이 문제는 어제 풀었던 것보다 □□□ 어렵다.

도매

물건을 낱개로 팔지 않고 한데 묶어서 파는 것

예 그는 동대문 시장에서 □□로 파는 물건을 가져다가 소매로 판다.

특산물

어떤 지역에서 특별하게 생산되는 물품

예 큰 시장에 가면 그 지방의 □□□을 볼 수 있다.

가급적

할 수 있는 대로

예 □□□ 문제를 혼자서 풀어 보고 모르는 부분을 질문해라.

희소성

사람들이 원하는 것에 비해 그것이 매우 드물거나 부족한 상태

예 □□□이 높은 물건일수록 물건의 가격이 높다.

직거래

물건을 팔 사람과 살 사람이 중간 상인을 거치지 않고 직접 거래함.

예 알뜰 시장에서 내가 쓰지 않는 물건들을 □□□ 하였다.

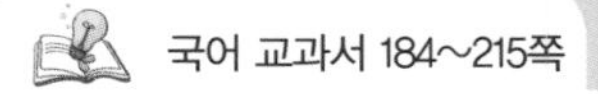

1 전기문

'전기문'은 어떤 인물의 생애와 했던 일 따위를 기록한 글이에요. 전기문을 읽고 훌륭한 사람들이 어떻게 살아왔는지를 살펴보며 내가 앞으로 어떻게 살아가야 할지를 생각해 보도록 해요.

빈칸에 알맞은 낱말을 [보기]에서 찾아 써 보세요.

보기

미래 사실 업적 가치관 발자취

1. 전기문을 보면, 그 인물의 (　　　　)를 엿볼 수 있다.
   과거에 지나온 과정

2. 자신의 (　　　　)를 계획할 때 전기문을 읽으면 도움이 된다.
   앞으로 올 때

3. 전기문은 인물의 삶을 (　　　　)에 바탕을 두고 기록한 글이다.
   실제로 있었던 일이나 현재에 있는 일

4. 전기문을 읽을 때에는 인물의 (　　　　)을 살피며 본받을 점을 찾아내야 한다.
   사람이 어떤 것의 가치를 매길 때 가지는 태도나 판단의 기준

5. 인물을 소개할 때에는 인물이 남긴 (　　　　) 중에 가장 기억에 남는 것을 소개한다.
   노력과 수고를 들여 이룩해 놓은 결과

2 형태는 같은데 뜻이 다른 말 낫다

'병이나 상처가 고쳐져서 본래대로 되다.'라는 뜻을 가진 말도 '낫다'이지만, '보다 더 좋거나 앞서 있다.'라는 뜻을 가진 말도 '낫다'예요. 이처럼 전혀 다른 뜻을 가진 말들이 형태가 같은 경우가 있어요.

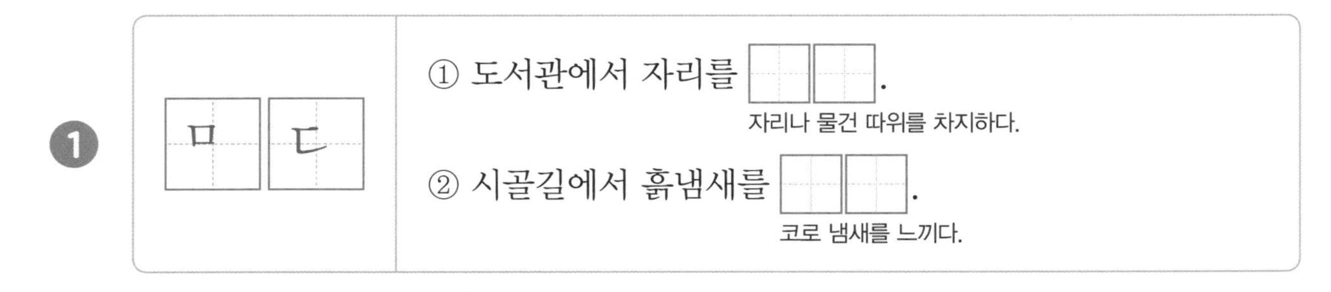

16일 월 일

빈칸에 공통으로 들어갈 낱말을 써 보세요.

1 ㅁ ㄷ

① 도서관에서 자리를 ☐☐.
자리나 물건 따위를 차지하다.

② 시골길에서 흙냄새를 ☐☐.
코로 냄새를 느끼다.

2 ㄴ ㄷ

① 감기가 씻은 듯이 ☐☐.
병이나 상처가 고쳐져 본래대로 되다.

② 둘 중에 이것이 더 ☐☐.
보다 더 좋거나 앞서 있다.

3 ㅁ ㄷ

① 손에 물감이 ☐☐.
가루, 물 등이 다른 물체에 붙어 흔적이 남게 되다.

② 화단에 거름을 ☐☐.
흙이나 다른 물건 속에 넣어 보이지 않게 쌓아 덮다.

③ 지나가는 사람에게 길을 ☐☐.
상대에게 설명을 요구하며 말하다.

3 사람을 가리키거나 부르는 말 선비

선비는 '예전에, 학문에 힘쓰면서 벼슬을 하지 않은 사람'을 뜻하는 말이에요. 요즘에는 품성이 얌전하기만 하고 현실에 어두운 사람을 비유할 때 쓰기도 해요.

주어진 낱말에 알맞은 뜻을 찾아 연결하세요.

❶ 양민	조선 시대에 가장 낮은 신분의 백성
❷ 천민	고을을 다스리던 관리를 높여 부르던 말
❸ 기생	조선 시대에, 지배 계급이 아닌 일반 백성
❹ 사또	예전에, 학문에 힘쓰면서 벼슬을 하지 않은 사람
❺ 선비	어떤 집의 농사일과 잡일을 해 주고 대가를 받던 사내
❻ 머슴	옛날 잔치나 술자리에서 노래나 춤으로 흥을 돋우는 것을 직업으로 하던 여자

4 띄어쓰기 듯하다, 만하다

'듯하다'는 앞말이 뜻하는 일이나 상태를 짐작하거나 추측하는 말로 앞말과 띄어 써야 해요. 이와 비슷한 특성을 가진 말로 '만하다'가 있어요.

비가 올 듯하다.

음식이 먹을 만하다.

다음 문장을 주어진 횟수에 따라 바르게 띄어 써 보세요.

1 하늘을보니비가올듯하다.(4회)

하	늘	을										

2 긴장해서목이빠작빠작타는듯하다.(4회)

긴	장	해	서									

3 이책은너에게도움이될만하다.(5회)

이		책	은									

*만하다: 어떤 것이 타당한 이유를 가질 정도로 가치가 있음.

4 이것은세계에서손꼽힐만한문화재이다.(4회)

이	것	은										

5 뜻이 여러 가지인 말 곧다

하나의 낱말이 여러 가지의 뜻을 가지고 있는 경우가 있어요. 낱말이 문장에서 어떤 의미로 사용되었는지 정확하게 알아야 문장의 의미를 올바르게 이해할 수 있어요.

나무가 곧다.
굽지 않고 똑바르다.

성격이 곧다.
흔들림 없이 바르다.

밑줄 친 낱말의 알맞은 뜻을 찾아 번호를 써 보세요.

곧다
① 굽거나 비뚤어지지 아니하고 똑바르다.
② 마음이나 뜻이 흔들림 없이 바르다.

1. 허리를 곧게 펴고 바른 자세로 걸어야 한다. ⇨ [ ]
2. 이 산에는 곧게 뻗은 대나무들이 숲을 이루고 있다. ⇨ [ ]
3. 김 선생님은 성품이 곧아 많은 학생들의 존경을 받는다. ⇨ [ ]

엮다
① 끈이나 실 따위의 가닥을 이리저리 묶어서 어떤 물건을 만들다.
② 여러 개의 물건을 끈이나 줄로 이어 묶다.
③ 자료를 모아 책을 만들다.

4. 나는 오색실을 엮어서 예쁜 실 팔찌를 만들었다. ⇨ [ ]
5. 할머니는 짚으로 엮은 굴비를 집으로 보내 주셨다. ⇨ [ ]
6. 그녀는 쌓아 둔 자료들을 모아 한 권의 책으로 엮었다. ⇨ [ ]

끌다 ① 바닥에 댄 채로 잡아당겨 움직이다.
② 바퀴 달린 것을 움직이게 하다.
③ 남의 관심 따위를 쏠리게 하다.
④ 시간이나 일을 늦추거나 미루다.

❼ 견인차가 고장 난 차를 끌고 갔다. → [ ]

❽ 의자를 끄는 소리가 너무 시끄럽다. → [ ]

❾ 아버지는 회사에 자동차를 끌고 다니신다. → [ ]

❿ 그는 뛰어난 노래 실력으로 인기를 끌었다. → [ ]

⓫ 동생은 신을 질질 끌고 다녀서 엄마에게 혼이 났다. → [ ]

⓬ 나는 어떤 일이든 시간을 끄는 것은 정말 싫어한다. → [ ]

⓭ 그 식당의 주인은 친절이 손님을 끄는 비결이라고 말했다. → [ ]

6 자주 쓰는 말 피땀을 흘리다

'피땀을 흘리다'는 '온갖 정성을 다해 노력하다.'라는 뜻으로 온갖 노력을 피와 땀에 비유한 표현이에요. 이처럼 말하고자 하는 바를 구체적인 사물에 비유해서 말하면 뜻을 더욱 효과적으로 전달할 수 있어요.

나는 **피땀을 흘리며** 공부했다.
온갖 정성을 다해 노력하며

밑줄 친 말에 알맞은 뜻을 찾아 연결하세요.

❶ 자식 자랑에 입에 침이 마르다. • • 애타게 기다리다.

❷ 며칠을 굶어 배가 등에 붙다. • • 몹시 배가 고프다.

❸ 최고가 되기 위해 피땀을 흘리다. • • 온갖 정성을 다해 노력하다.

❹ 선생님의 지도로 영어 실력에 날개를 달다. • • 능력이나 상황 등이 더 좋아지다.

❺ 아이가 엄마를 기다리며 목을 길게 빼다. • • 들리는 말에 마음이 선뜻 끌리다.

❻ 남자친구가 있다는 누나의 말에 귀가 번쩍 뜨이다. • • 무엇에 대해 거듭해서 말하다.

7 낱말 퀴즈

빈칸에 알맞은 낱말을 써서 문장을 완성해 보세요.

1. 태풍을 만난 배가 [치][ㅁ] 위기에 몰렸다.
   배 따위가 물속으로 가라앉음.

2. 이웃한 두 나라가 활발히 [ㅁ][여]을 하고 있다.
   나라와 나라 사이에 서로 물품을 사고파는 일

3. 나는 아무 근거가 없는 [ㅁ][하]을 받게 되어 억울하다.
   나쁜 꾀를 부려 남을 어려운 처지에 빠뜨림.

4. 물에 빠진 나를 구해 주신 그분은 내 생명의 [으][ㅇ]이다.
   은혜를 베푼 사람

5. 나는 이순신 장군의 [ㅇ][이][ㅈ]을 읽고 큰 감동을 받았다.
   뛰어나고 훌륭한 사람의 업적과 삶을 적은 글이나 책

6. 이 씨 부부는 그 여자아이를 데려다가 [ㅅ][야][ㄸ]로 삼았다.
   남의 자식을 데려다가 제 자식처럼 기른 딸

8 바꿔 쓸 수 있는 말 1 내년

'내년'과 '이듬해'는 모두 '올해의 바로 다음 해'를 나타내는 말이에요. 이처럼 같은 시간을 나타내는 표현이 여러 개 있을 수 있어요.

형이 [내년 / 이듬해]에 졸업을 한다.
바꿔 쓸 수 있음.

밑줄 친 낱말과 바꿔 쓸 수 있는 낱말을 [보기]에서 찾아 써 보세요.

보기

예전 올해 요즈음 이듬해 지난해 지지난해

1. 금년 들어서 비가 자주 내린다. → ( )
   지금 지나가고 있는 이 해

2. 내가 이래 봬도 왕년엔 잘나갔다. → ( )
   지나간 해

3. 나는 근래 들어 주말마다 낮잠을 잔다. → ( )
   가까운 이 시기

4. 동생은 내년에 초등학교에 입학한다. → ( )
   어떤 시점의 바로 뒤에 오는 해

5. 재작년에 심은 나무가 벌써 이렇게 자랐다. → ( )
   지난해의 바로 전 해

6. 삼촌과 작년 겨울에 스키장에 간 기억이 난다. → ( )
   올해의 바로 전 해

9 바꿔 쓸 수 있는 말 2 거래하다

'거래하다'라는 말은 '사고팔다'라는 말과 바꿔 쓸 수 있어요. 이외에도 '매매하다', '흥정하다'라는 말도 비슷한 의미를 가지고 있어요.

가게에서 물건을 [거래하다 / 사고팔다].
바꿔 쓸 수 있음.

18일 월 일

밑줄 친 낱말과 바꿔 쓸 수 있는 낱말을 [보기]에서 찾아 써 보세요.

보기

공부하다 벗어나다 사고팔다 수수하다 이해하다 해박하다

1. 큰형은 책을 많이 읽어서 박식하다. → ( )
   지식이 넓고 아는 것이 많다.

2. 그녀는 돈이 많은데도 매우 검소하다. → ( )
   사치스럽거나 화려하지 않고 평범하다.

3. 글을 읽고 글의 중심 내용을 파악하다. → ( )
   어떤 일 따위를 확실하게 알다.

4. 인터넷 강의를 통해 외국어를 학습하다. → ( )
   배워서 익히다.

5. 마침내 우리나라가 일본으로부터 해방되다. → ( )
   억눌림에서 빠져나오다.

6. 시장에서 사람들이 다양한 물건을 거래하다. → ( )
   물건을 팔고 사다.

10 타교과 어휘 과학

빈칸에 알맞은 낱말을 써서 문장을 완성해 보세요.

1. 유리는 투명하고 쉽게 깨지는 [서][ㅈ]이 있다.
   사물이나 현상이 가지고 있는 고유한 특성

2. 카멜레온은 환경의 [벼][ㅎ]에 따라 몸빛깔을 바꾼다.
   사물의 성질, 모양, 상태가 바뀌어 달라짐.

3. 빛 앞에서 손가락을 움직여 [그][리][ㅈ]놀이를 했다.
   물체가 빛을 가려서 그 물체의 뒷면에 생기는 검은 그늘

4. 집에서 영화를 보기 위해 거실에 [스][ㅋ][린]을 설치했다.
   그림자를 잘 보이도록 설치하는 흰색 막

5. 선수는 숨을 멈추고 [ㄱ][녀][ㅍ]을 향해 화살을 당겼다.
   활이나 총 등을 쏠 때 표적으로 사용하는 판

6. 새 신발을 신고 신발이 잘 어울리는지 [거][우]에 비춰 보았다.
   빛의 반사를 이용하여 물체의 모양을 비추어 보는 물건

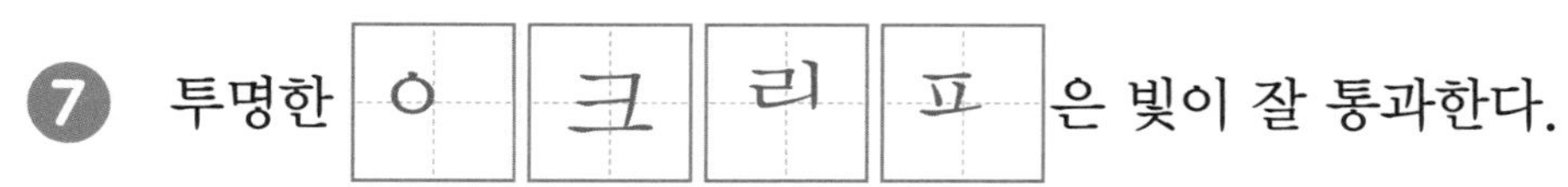

❼ 투명한 ㅇ ㅋ ㄹ ㅍ 은 빛이 잘 통과한다.

유리처럼 뒤에 있는 물체가 잘 보이며 단단한 판

❽ 이 자동차에는 장애물을 ㅌ ㅈ 하는 센서가 달려 있다.

드러나지 않은 사실이나 물건 따위를 더듬어 찾아 알아냄.

❾ 갑자기 정전이 되어서 집 안을 ㅅ ㅈ ㄷ 으로 비추었다.

가지고 다닐 수 있는 작은 전등

❿ 어디선가 ㅍ ㅂ ㅁ 이 터지는 것처럼 큰 소리가 들렸다.

불이 일어나며 갑작스럽게 터지는 성질이 있는 물질을 통틀어 이르는 말

⓫ 나는 운동 삼아 ㅅ ㄱ ㄱ 를 이용하지 않고 계단으로 다닌다.

동력을 사용하여 사람이나 화물을 아래위로 나르는 장치

⓬ 이 유리는 ㅂ ㅌ ㅁ 유리라서 반대편이 또렷하게 보이지 않는다.

어떤 물체를 통하여 볼 때 그 반대쪽이 흐릿하게 보이는 성질

18일

월

일

어휘력을 높이는 확인 학습

다음 빈칸에 글자를 넣어 낱말을 완성하세요.

1 학□하다	배워서 익히다.
2 □인	은혜를 베푼 사람
3 거□하다	물건을 팔고 사다.
4 해□하다	지식이 넓고 아는 것이 많다.
5 □몰	배 따위가 물속으로 가라앉음.
6 사□	고을을 다스리던 관리를 높여 부르던 말
7 무□	나라와 나라 사이에 물품을 사고파는 일
8 수□딸	남의 자식을 데려다가 제 자식처럼 기른 딸
9 □함	나쁜 꾀를 부려 남을 어려운 처지에 빠뜨림.
10 □슴	어떤 집의 농사일과 잡일을 해 주고 대가를 받던 사내

정답 1. 습 2. 은 3. 래 4. 박 5. 침 6. 또 7. 역 8. 양 9. 모 10. 머

11 발 □ 취	과거에 지나온 과정
12 □ 다	자리나 물건 따위를 차지하다.
13 □ 실	실제로 있었던 일이나 현재에 있는 일
14 □ 다	병이나 상처가 고쳐져 본래대로 되다.
15 □ 다	여러 개의 물건을 끈이나 줄로 이어 묶다.
16 □ 강 □	동력을 사용하여 사람이나 화물을 아래위로 나르는 장치
17 □ 지	드러나지 않은 사실이나 물건 따위를 더듬어 찾아 알아냄.
18 가 □ 관	사람이 어떤 것의 가치를 매길 때 가지는 태도나 판단의 기준
19 그 □ 자	물체가 빛을 가려서 그 물체의 뒷면에 생기는 검은 그늘
20 불 □ 명	어떤 물체를 통하여 볼 때 그 반대쪽이 흐릿하게 보이는 성질

정답 11. 자 12. 맡 13. 사 14. 낫 15. 엮 16. 승, 기 17. 탐 18. 치 19. 림 20. 투

7장 독서 감상문을 써요

국어 교과서 216~247쪽

1 독서

책을 읽는 방법은 책을 읽는 상황이나 책을 읽는 목적 등에 따라 달라질 수 있어요. 때에 따라 알맞은 읽기 방법을 사용하면 책을 보다 효과적으로 읽을 수 있어요.

빈칸에 알맞은 낱말을 [보기]에서 찾아 써 보세요.

보기

낭독　　다독　　속독　　정독　　통독

1. 발표 시간에 직접 쓴 시를 [　　　] 했다.
   소리 내어 읽음.

2. 작가가 꿈인 민주는 [　　　] 을 생활화하고 있다.
   책을 많이 읽음.

3. 아버지는 바쁘셔서 [　　　] 으로 신문을 읽으셨다.
   빠른 속도로 읽음.

4. 나는 그 책의 내용이 어려워서 천천히 [　　　] 을 했다.
   꼼꼼하고 자세하게 읽음.

5. [　　　] 을 하면 글의 전체 줄거리를 빠르게 이해할 수 있다.
   처음부터 끝까지 훑어 읽음.

2 주제별 어휘 비행기

'비행기'는 '사람이나 물건을 싣고 하늘을 날아다니는 탈것'을 말해요. 사람들은 비행기를 이용해 물건을 나르거나 먼 곳으로 여행을 가요.

다음 설명에 알맞은 낱말을 그림에서 찾아 써 보세요.

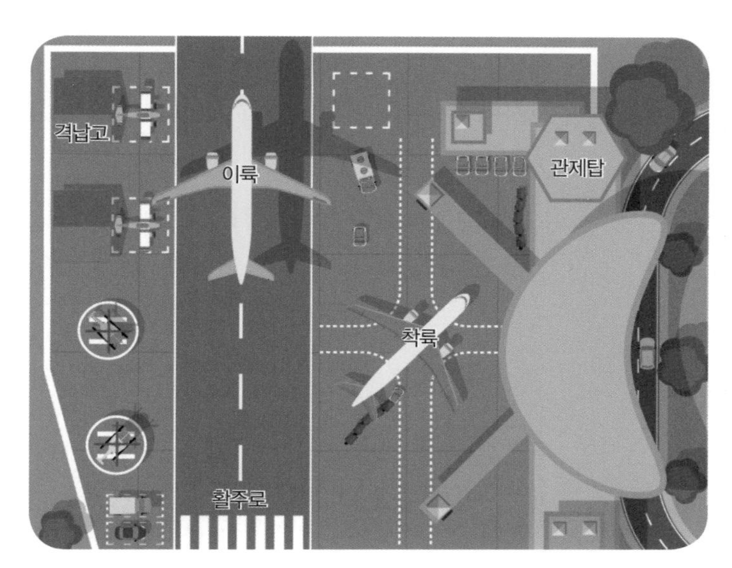

1. 비행기가 날기 위하여 땅에서 떠오름. → [ ]
2. 비행기가 공중에서 땅이나 평평한 곳에 내림. → [ ]
3. 비행기나 비행선을 넣어 두거나 정비하는 건물 → [ ]
4. 비행장에서 비행기가 뜨거나 내릴 때 달리는 길 → [ ]
5. 비행장에서 비행기가 뜨고 내리는 것을 관리하는 시설 → [ ]

3 형태는 같은데 뜻이 다른 말 물가

'물이 있는 곳의 가장자리'를 뜻하는 '물가'와 '물건의 값'을 뜻하는 '물가'는 형태가 같지만 전혀 다른 낱말이에요.

빈칸에 공통으로 들어갈 낱말을 써 보세요.

1 ㄱ ㅈ

① 기차가 □□을 울리며 출발했다.
기차나 배 따위의 경적 소리

② 그는 의식이 없다가 □□처럼 깨어났다.
상식으로는 생각할 수 없는 이상하고 놀라운 일

2 ㅈ ㄱ

① 아이들이 마당에서 □□를 차며 놀고 있다.
발로 차며 노는 한국의 전통적인 장난감

② 정성스레 만든 음식을 □□에 담아 제사상에 올렸다.
제사에 쓰는 그릇

3 ㅈ ㄹ

① 내가 서 있는 □□에 나비가 날아왔다.
사람이나 물체가 차지하고 있는 공간

② 우리는 햇볕이 잘 드는 곳에 □□를 깔았다.
깔고 앉거나 눕기 위해 바닥에 까는 물건

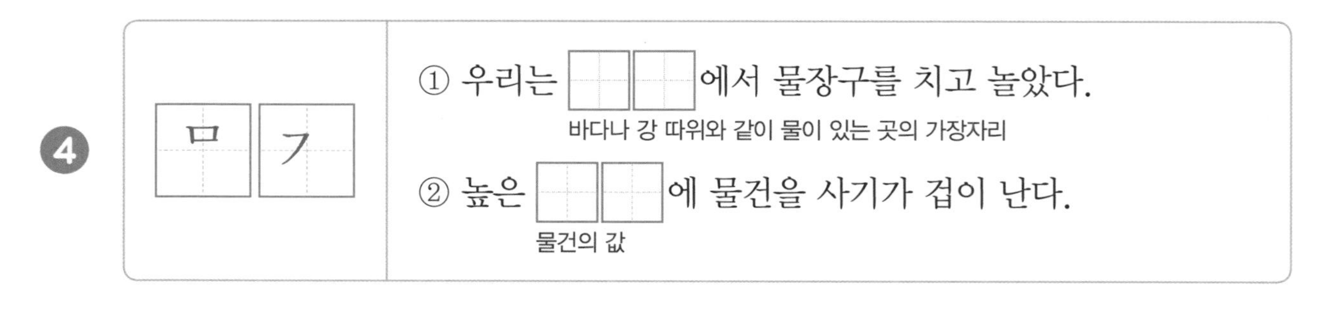

4
ㅁ ㄱ
① 우리는 □□에서 물장구를 치고 놀았다.
바다나 강 따위와 같이 물이 있는 곳의 가장자리
② 높은 □□에 물건을 사기가 겁이 난다.
물건의 값

4 모양을 흉내 내는 말 조롱조롱

'조롱조롱'은 '작은 열매 따위가 많이 매달려 있는 모양'을 나타내는 낱말이에요. 이와 같은 낱말들은 이야기를 실감 나게 표현하는 데 주로 쓰여요.

빈칸에 알맞은 낱말을 [보기]에서 찾아 써 보세요.

보기

바들바들 안절부절 오도카니 옥신각신 조롱조롱 찔꺽찔꺽

1. 대추나무에 작은 열매들이 ☐ 매달려 있었다.
   작은 열매 따위가 많이 매달려 있는 모양

2. 지갑을 잃어버린 여자는 ☐ 어쩔 줄을 몰랐다.
   마음이 초조하고 불안하여 어찌할 바를 모르는 모양

3. 사람들이 서로 자기 말이 맞다고 ☐ 떠들고 있다.
   서로 옳으니 그르니 하며 다투는 모양

4. 친구를 떠나보낸 그는 ☐ 바다만 바라보고 있었다.
   정신이 나간 듯 가만히 서 있거나 앉아 있는 모양

5. 혹부리 영감은 도깨비를 보자 몸을 ☐ 떨기 시작했다.
   몸을 자꾸 작게 바르르 떠는 모양

6. 사내는 진흙투성이가 된 골목길을 ☐ 소리를 내며 걸었다.
   끈끈한 물질이 밟히거나 들러붙는 소리나 모양

5 잘못 쓰기 쉬운 말 아래층

우리말은 소리 나는 대로 쓰는 것이 원칙이지만, 소리만으로 구별이 어려운 경우 잘못 쓰기 쉬워요. 이러한 낱말들은 자주 보고, 따라 써 보면서 낱말의 형태를 잘 익혀 두어야 해요.

아래층으로 내려가다.
아랫층(×)

일이 너무 **고되다**.
고돼다(×)

밑줄 친 낱말을 알맞게 고쳐 써 보세요.

1. 산 윗쪽으로 올라갈수록 숨이 몹시 찼다. → [ ]

2. 그는 나에게 할 말이 있다며 나즉이 속삭였다. → [ ]
   소리가 꽤 낮게

3. 새들은 숫컷이 암컷보다 아름다운 경우가 많다. → [ ]
   암수 구별이 있는 동물 중 새끼를 낳지 못하는 쪽

4. 아침 일찍 일어나 하루 종일 부지런이 일을 했다. → [ ]

5. 우리는 에스컬레이터를 타고 아랫층으로 내려갔다. → [ ]

6. 자고 일어나니 온몸이 땀으로 흥건이 젖어 있었다. → [ ]
   물 따위가 고일 정도로 많이

다음 문장에 알맞은 낱말을 찾아 ○표 하세요.

1. 일이 너무 (고되어 / 고돼어) 몸살이 났나 보다.
하는 일이 괴롭고 힘들어

2. 이 이야기에는 많은 사연이 (얼켜 / 얽혀) 있다.
무엇에 이리저리 관련이 되어

3. 귀신을 (좇기 / 쫓기) 위해 집 앞에 팥죽을 뿌린다.
떠나도록 몰아내기

4. 그는 혼자 (청승맞게 / 청숭맞게) 도시락을 까먹었다.
초라하고 가여워 보기에 좋지 않게

5. 풀잎마다 이슬방울이 조롱조롱 (매달려 / 메달려) 있다.
어떤 곳에 달려 있게 되어

6. 전학 온 지 하루밖에 안 되어서 반 친구들이 (낯설다 / 낮설다).
전에 보거나 만난 적이 없어 익숙하지 아니하다.

20일 월 일

6 낱말 퀴즈

다음 낱말의 뜻이 바르게 되도록 알맞은 말을 찾아 ○표 하세요.

❶ 작대기 → (긴 / 짧은) 막대기

❷ 저녁노을 → 해가 (뜰 때 / 질 때)의 노을

❸ 땟국물 → (일정하게 / 꾀죄죄하게) 묻은 때

❹ 이슬받이 → 양쪽에 이슬 맺힌 풀이 우거진 (좁은 / 넓은) 길

❺ 동지 → 일 년 중 밤이 가장 (긴 / 짧은) 날로 24절기 중 하나

❻ 음력 → (달 / 태양)이 지구를 도는 시간을 기준으로 만든 달력

빈칸에 알맞은 낱말을 주어진 글자 카드로 만들어 써 보세요.

빙 로 하 작 레 벌 신 애

1. □□□가 꿈틀꿈틀 나무를 오른다.
알에서 나와 다 자라지 않은 벌레

2. 차들이 □□□를 따라 시원하게 달리고 있다.
자동차가 다닐 수 있을 정도로 넓게 새로 낸 길

3. 지구의 기온이 높아지면서 북극의 □□가 점점 녹고 있다.
수천 년 동안 쌓인 눈이 얼음덩어리로 변한 것

봉 짓 당 예 짝 인 기 연

4. 마을 어른들이 □□에 걸터앉아 이야기꽃을 피우신다.
안방과 건넌방 사이에 마루를 놓지 아니하고 흙바닥 그대로 둔 곳

5. 두 잠자리가 작은 나무에 내려 앉아 □□□를 마쳤다.
동물이 새끼나 알을 낳기 위해 암컷과 수컷이 짝을 이루는 일

6. 새로 시작하는 방송 프로그램에 내가 좋아하는 □□□이 나온다.
배우, 가수 등을 통틀어 이르는 말

20일 월 일

7 방언 하르방

방언은 하나의 언어 안에서 특정 지역에 따라 다르게 사용하는 말로 '사투리'라고도 해요. '할배, 하르방, 할아버이' 따위는 모두 '할아버지'의 방언이에요.

할아버지 (표준어) – **할배 / 하르방 / 할아버이** (방언)

다음 지역에 알맞은 방언을 [보기]에서 찾아 써 보세요.

보기

할배 하르방 할머이 할압시 할아바이

	할아버지	할머니
① 강원도 →	할버이	
② 경상도 →		할매
③ 전라도 →		할무니
④ 함경도 →		할마이
⑤ 제주도 →		할망

8 띄어쓰기 수, 지

'수'나 '지'와 같은 말은 의미가 형식적이어서 꼭 다른 말과 함께 써야 해요. 하지만 하나의 낱말로 인정되기 때문에 앞말과 띄어 쓰지요.

피아노를 **칠 수** 있다.

밥을 **먹은 지** 두 시간이 되었다.

다음 문장을 주어진 횟수에 따라 바르게 띄어 써 보세요.

1. 아기를혼자두고갈수는없어요. (5회)

아	기	를										

2. 이곳에다시돌아올수있을거야. (5회)

이	곳	에										

3. 그를만난지꽤오래되었다. (5회)

그	를											

4. 강아지가집을나간지이틀이되었다. (5회)

강	아	지	가									

9 타교과 어휘 도덕

밑줄 친 낱말에 알맞은 뜻을 찾아 연결하세요.

❶	남북한의 교류가 점점 더 확대되고 있다.		동강이 나게 끊어 가름.
❷	우리의 소원은 남북이 평화로운 통일을 이루는 것이다.		빼앗긴 주권을 도로 찾음.
❸	우리 국민들은 남북 분단의 아픔을 잊지 말아야 한다.		자주 만나면서 의견이나 물건을 주고받음.
❹	오랜 전쟁 끝에 두 나라는 당분간 휴전을 하기로 했다.		나누어진 것들을 합쳐서 하나로 만드는 것
❺	남북 국어학자들은 우리말을 담은 사전을 편찬하고 있다.		여러 가지 자료를 모아 체계적으로 정리하여 책을 만듦.
❻	조국의 광복을 위해 많은 사람들이 몸을 바쳤다.		전쟁을 벌이다가 서로 의논하여 전쟁을 얼마 동안 멈추는 일

빈칸에 알맞은 낱말을 써서 문장을 완성해 보세요.

1. 우리는 모두 [ㅍ][ㄷ]하게 태어났다.
   권리, 의무, 자격 등이 차별 없이 고르고 한결같음.

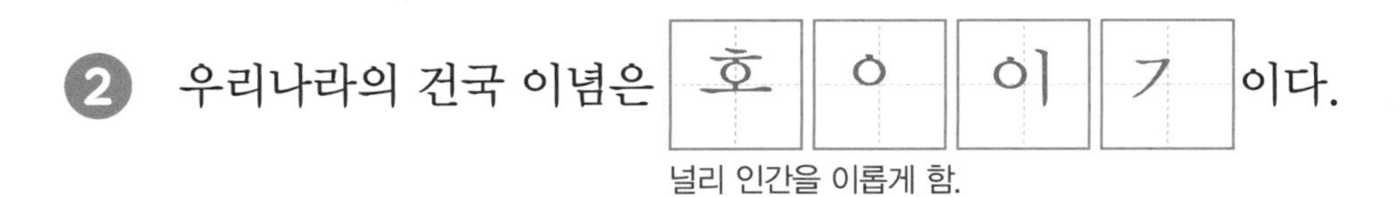

2. 우리나라의 건국 이념은 [호][ㅇ][이][ㄱ]이다.
   널리 인간을 이롭게 함.

3. 나는 친구와 화해할 방법을 부모님과 [ㅇ][노]하였다.
   어떤 일에 대하여 서로 의견을 주고받음.

4. 해외에 사는 많은 [도][ㅍ]들이 고국을 그리워하고 있다.
   같은 나라 또는 같은 민족의 사람

5. 아무리 좋은 법이라 하더라도 [ㅇ][구]에 우선할 수는 없다.
   인간으로서 당연히 가지는 기본적 권리

6. 피부색이 다르거나 문화가 다르다고 친구를 [ㅊ][ㅂ]하면 안 된다.
   옳지 않게 남보다 낮은 대우를 함.

어휘력을 높이는 확인 학습

다음 빈칸에 낱말을 넣어 문장을 완성하세요.

활주로

비행장에서 비행기가 뜨고 내릴 때 달리는 길

예 비행기가 □□□를 따라 서서히 움직이기 시작했다.

다독

책을 많이 읽음.

예 글을 잘 쓰려면 꾸준히 □□을 해야 한다.

기적

상식으로는 생각할 수 없는 이상하고 놀라운 일

예 장님이 눈을 뜨는 □□과 같은 일이 일어났다.

격납고

비행기나 비행선을 넣어 두거나 정비하는 건물

예 전투를 마친 전투기는 □□□에 세워져 있었다.

낭독

소리 내어 읽음.

예 아이들은 국어 교과서를 들고 합창하듯 □□을 했다.

속독

빠른 속도로 읽음.

예 나는 시간이 없어 도서관에서 빌린 책을 □□했다.

정독

꼼꼼하고 자세하게 읽음.

예 나는 전에는 건성으로 읽었던 책들을 꺼내 다시 □□하였다.

옥신각신

서로 옳으니 그르니 하며 다투는 모양

예 상인들이 물건값을 흥정하느라 □□□□ 떠들고 있다.

이슬받이	양쪽에 이슬이 맺힌 풀이 우거진 좁은 길 예 산길을 걷다가 □□□□로 들어섰다.
분단	동강이 나게 끊어 가름. 예 독일은 우리보다 먼저 민족 □□을 극복하였다.
평등	권리, 의무, 자격 등이 차별 없이 고르고 한결같음. 예 모든 국민은 법 앞에서 □□하다.
고되다	하는 일이 괴롭고 힘들다. 예 시합을 앞두고 종일 하는 훈련이 매우 □□□.
저녁노을	해가 질 때의 노을 예 서쪽 하늘의 □□□□이 붉은빛으로 곱게 물들었다.
통일	나누어진 것들을 합쳐서 하나로 만드는 것 예 우리의 소원은 남과 북이 평화롭게 □□되는 것이다.
흥건히	물 따위가 고일 정도로 많이 예 더운 날 달리기를 했더니 옷이 땀으로 □□□ 젖었다.
차별	옳지 않게 남보다 낮은 대우를 함. 예 생김새가 다르다는 이유로 다른 사람을 □□해서는 안 된다.

국어 교과서 248~275쪽

1 바꿔 쓸 수 있는 말 꾸다

'꾸다'는 '나중에 갚기로 하고 남의 것을 얼마 동안 빌려 쓰다.' 라는 뜻으로 '빌리다'와 바꿔 쓸 수 있어요.

돈을 [꾸다 / 빌리다].
바꿔 쓸 수 있음.

밑줄 친 낱말과 바꿔 쓸 수 있는 낱말을 [보기]에서 찾아 써 보세요.

보기

빌리다 삼가다 불쾌하다 적절하다 떨어뜨리다

1 손에 쥐고 있던 비누를 놓치다. → ( )

2 친구의 톡 쏘는 말투가 거슬리다. → ( )

3 건강을 위해 기름진 음식을 절제하다. → ( )

4 쌀이 똑 떨어져 이웃집에서 곡식을 꾸다. → ( )

5 그 영화는 온 가족이 함께 보기에 적합하다. → ( )

2 뜻을 더하는 말 부–, 불–

'부–'와 '불–'은 다른 말의 앞에 붙어서 '아님, 아니함, 어긋남'의 뜻을 더하는 말이에요. 'ㄷ, ㅈ'으로 시작하는 말 앞에서는 '부–'가 쓰이고 'ㄷ, ㅈ' 이외의 자음으로 시작하는 말 앞에서는 '불–'이 쓰여요.

'ㄷ, ㅈ'의 자음이 올 때	'ㄷ, ㅈ' 외의 자음이 올 때
부주의	불행

빈칸에 알맞은 낱말을 써서 문장을 완성해 보세요.

1. 교통사고로 인해 뜻밖의 □ ㅎ 이 찾아왔다.
   행복하지 아니함.

2. 성민이는 혀가 짧아 발음이 □ 저 ㅎ 하다.
   바르지 아니하거나 확실하지 하니함.

3. 팔을 다치는 바람에 움직임이 □ ㅈ ㅇ 스럽다.
   몸과 마음을 마음대로 움직일 수 없음.

4. 다리를 꼬는 습관은 몸을 □ 규 ㅎ 하게 만든다.
   어느 편으로 치우쳐 고르지 아니함.

5. 사소한 □ ㅈ ㅇ 가 큰 사고를 불러일으킬 수 있다.
   조심을 하지 아니함.

6. 지금은 나에게 자전거가 □ 피 ㅇ 해서 동생에게 빌려주었다.
   필요하지 않음.

3 자주 쓰는 말 1 날개를 달다

'날개를 달다'는 원래는 '날개를 일정한 곳에 매어 놓다.'라는 뜻이지만 '능력이나 상황 따위가 더 좋아지다.'라는 새로운 뜻으로도 쓰여요.

피아노 실력에 **날개를 달다**.
능력이 더 좋아지다.

빈칸에 알맞은 낱말을 [보기]에서 찾아 써 보세요.

보기

달다 차다 치다

1. 동생이 말끝마다 토를 [ ].
어떤 말 끝에 그 말에 대하여 덧붙여 말하다.

2. 아이의 버릇없는 행동에 혀를 [ ].
마음에 들지 않은 뜻을 나타내다.

3. 장사가 너무 안 되어 목에 거미줄 [ ].
가난하여 아무것도 먹지 못하는 처지가 되다.

4. 말도 안 되는 친구의 거짓말에 기가 [ ].
하도 어이가 없어 말이 나오지 않다.

5. 엄마가 방을 어질러 놓은 동생에게 호통을 [ ].
크게 꾸짖고 주의를 주다.

6. 외국인 친구가 생기더니 영어 실력에 날개를 [ ].
능력이나 상황 따위가 더 좋아지다.

4 자주 쓰는 말 2 물과 기름이다

'물과 기름이다'는 '한데 어울리지 못하여 겉도는 상태이다.'라는 뜻을 나타내는데, 이는 물과 기름이 서로 잘 섞이지 않는 성질과 관련이 있어요.

다음 말에 알맞은 뜻을 찾아 연결하세요.

① 물로 보다	물건을 헤프게 쓰거나 낭비하다.
② 물 쓰듯 하다	사람을 하찮게 보거나 쉽게 생각하다.
③ 물 찬 제비	한데 어울리지 못하여 겉도는 상태이다.
④ 물과 기름이다	일의 상황이 끝나 어떠한 조치를 할 수 없다.
⑤ 물 건너가다	동작이 빠르고 깔끔하여 보기 좋은 행동을 하다.

5 뜻이 반대인 말 최소화/최대화

'최소화'는 '가장 적게 함.'이라는 뜻이고, '최대화'는 '가장 많게 함.'이라는 뜻이에요.

공간을 **최소화**하다. 가장 적게 함.	공간을 **최대화**하다. 가장 많게 함.

밑줄 친 낱말과 뜻이 반대인 낱말을 써 보세요.

1. 나 자신도 그 사실이 믿기지 않는다.
   바로 그 사람
   → ㄴ
   내가 아닌 다른 사람

2. 이 도서관은 휴일에도 개방을 한다.
   자유롭게 들어가거나 이용할 수 있도록 열어 놓음.
   → ㅍ 쇄
   문이나 출입구 등을 드나들지 못하도록 막아 버림.

3. 나는 부모님으로부터 구속을 받고 있다.
   생각이나 행동의 자유를 제한하거나 속박함.
   → 방 ㅇ
   제멋대로 내버려 둠.

4. 사람은 누구나 교육을 받을 권리가 있다.
   무엇을 할 수 있는 자격이나 힘
   → ㅇ ㅁ
   마땅히 해야 할 일

5. 숲이 파괴되는 것을 최소화해야 한다.
   가장 적게 함.
   → 최 ㄷ ㅎ
   가장 크게 함.

6. 우리는 자율적으로 자리를 정하기로 했다.
   스스로의 원칙에 따라 자신의 행위를 통제하는 것
   → 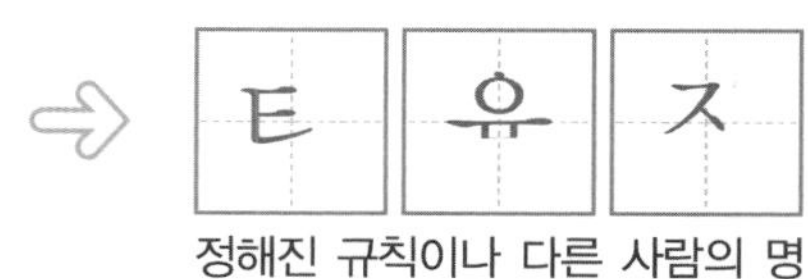

   정해진 규칙이나 다른 사람의 명령에 따라 행동하는 것

6 표준어 고깔모자

우리는 말과 글을 통해 다른 사람과 생각과 의견을 나누어요. 원활한 의사소통을 위해서는 표준어를 사용하는 것이 중요해요.

밑줄 친 부분에 해당하는 표준어를 찾아 ○표 하세요.

우리 집 강아지는 뼈의 낱개를 무척 좋아한다.

→ 뼈다구 / 뼈다귀

아이가 침대의 끝에 해당되는 부분에 걸터앉았다.

→ 가생이 / 가장자리

종이로 위 끝이 뾰족하게 생긴 모자를 만들었다.

→ 고깔모자 / 꼬깔모자

이 걸을 때에 짚는 막대기는 나무로 만든 것이다.

→ 지팡이 / 지팽이

7 한자어 관-, 편-

'관(觀)'은 '보다'라는 뜻이고, '편(偏)'은 '치우치다'라는 뜻이에요. 같은 한자가 들어가는 낱말들을 묶어서 공부하면 낱말을 이해하고 기억하는 데 도움이 돼요.

관(觀) '보다'의 뜻

편(偏) '치우치다'의 뜻

빈칸에 알맞은 낱말을 [보기]에서 찾아 써 보세요.

보기

관람 관점 관찰 편식 편애 편두통

1. 보는 (　　　　)에 따라 같은 사물도 다르게 보인다.
   사물을 바라보고 생각하는 태도나 방향

2. 형은 야구 경기를 (　　　　)하느라 정신이 하나도 없었다.
   연극, 운동 경기 등을 구경함.

3. 친구들과 함께 땅 위를 지나는 개미의 움직임을 (　　　　)했다.
   사물이나 현상을 주의해서 자세히 살펴봄.

4. 남동생에 대한 부모님의 (　　　　) 때문에 그는 버릇이 나빠졌다.
   어느 한 사람이나 한쪽만을 치우치게 사랑함.

5. 언니는 (　　　　)이 심한지 한쪽 머리가 깨질 듯이 아프다고 했다.
   머리 한쪽이 아픈 증세

6. 건강을 위해서는 (　　　　)을 하지 말고 음식을 골고루 먹어야 한다.
   좋아하는 음식만 가려서 먹음.

8 주제별 어휘 문화재

옛 조상들이 남긴 것들 중에서 역사적으로나 문화적으로 가치가 높아 보호해야 할 것을 문화재라고 해요. 이러한 문화재가 언제, 어떻게, 왜 만들어졌는지를 살펴보면 조상들의 생활 모습을 알 수 있고 그들의 지혜를 배울 수 있어요.

빈칸에 알맞은 낱말을 [보기]에서 찾아 써 보세요.

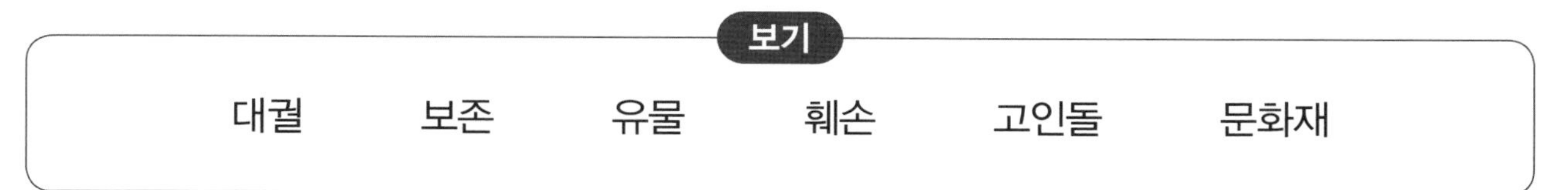

보기

대궐 보존 유물 훼손 고인돌 문화재

1. 불이 나서 ( ) 되었던 남대문이 복원되었다.
   헐거나 깨뜨려 못 쓰게 만듦.

2. 그의 집은 으리으리하고 화려해서 ( ) 같다.
   임금이 사는 큰 집

3. 경주에는 신라의 ( ) 가 곳곳에 잘 보존되어 있다.
   역사적 문화 활동에 의해 창조된 가치가 뛰어난 사물

4. 전 세계 40% 이상의 ( ) 은 한반도에서 발견된 것이다.
   큰 돌을 받침대 삼아 그 위에 넓적한 돌을 올려 놓은 선사 시대의 무덤

5. 이 절에서 발견된 불상은 박물관으로 옮겨져 ( ) 되고 있다.
   잘 보호하고 보관해서 남김.

6. 서울 암사동과 경기도 연천에는 선사 시대의 ( ) 이 전시되어 있다.
   앞선 인류가 후손들에게 남긴 물건

9 낱말 퀴즈

밑줄 친 부분의 글자 순서를 바르게 고쳐 써 보세요.

1. 학교는 자라나는 아이들의 금자리보가 되어야 한다. →
   지내기에 매우 포근하고 편안한 곳을 비유적으로 이르는 말

2. 병원, 도서관과 같은 공장소공에서는 조용히 해야 한다. →
   여러 사람이 함께 이용하는 곳

3. 나는 친구와 도서관 게실휴에서 이야기를 나누고 있었다. →
   잠깐 쉴 수 있도록 마련해 놓은 방

4. 선생님께서 숙제를 학교 리누집 게시판에 올리라고 하셨다. →
   인터넷 홈페이지의 우리말

5. 준호는 역사에 관해 전가문 못지않은 지식을 갖추고 있다. →
   많은 지식과 경험, 기술을 가지고 있는 사람

6. 외무다나리에서 만난 그들은 서로 먼저 가겠다고 다퉜다. →
   한 개의 통나무로 놓은 다리

24일 월 일

빈칸에 알맞은 낱말을 주어진 글자 카드로 만들어 써 보세요.

벌 련 목 동 훈 충

1. [   ]으로 산이 벌거숭이가 되어 버렸다.
산이나 숲에 있는 나무를 벰.

2. 선수들이 경기를 앞두고 [   ]을 하고 있다.
기본자세나 동작 등을 되풀이하여 익힘.

3. 예쁜 필기구를 보니 사고 싶은 [   ]이 든다.
순간적으로 어떤 행동을 하고 싶다고 느끼는 마음

4. 심판이 규칙을 잘못 적용해서 [   ]을 받았다.
다른 사람의 허물이나 잘못을 나쁘게 말함.

5. 아파트 단지 주변에 [   ] 시설이 잘 갖춰져 있다.
형편이나 조건 등이 편하고 좋음.

6. 이 계곡은 [   ]이 너무 빨라 물놀이를 하기가 어렵다.
물이 흐르는 힘이나 속도

10 타교과 어휘 사회

✎ **빈칸에 알맞은 낱말을 써서 문장을 완성해 보세요.**

❶ [편][ㄱ]을 깨뜨리고 다양한 시각을 길러야 한다.

공정하지 못하고 한쪽으로 치우친 생각

❷ 우리와 다른 [무][ㅎ]라도 이해하고 존중해 주어야 한다.

사람들이 가지고 있는 공통의 생활 방식

❸ [ㄴ][이][ㅈ]에 어르신들이 모여 즐거운 시간을 보내고 계신다.

노인들이 모여 쉴 수 있도록 마련해 놓은 정자나 집, 방 따위

❹ 다문화 가족이 사회에 잘 적응하도록 [ㅈ][ㄷ]를 마련할 필요가 있다.

조직을 유지하고 일을 진행시키기 위해 정한 절차나 방법

❺ 정부는 도시와 농촌 사이의 임금 [격][ㅊ]를 줄이려는 노력을 하고 있다.

임금, 기술 수준 따위가 서로 벌어져 다른 정도

❻ 인터넷을 사용할 때에는 개인 정보가 [ㅇ][추]되지 않도록 주의해야 한다.

밖으로 흘러 나가거나 흘려 내보냄.

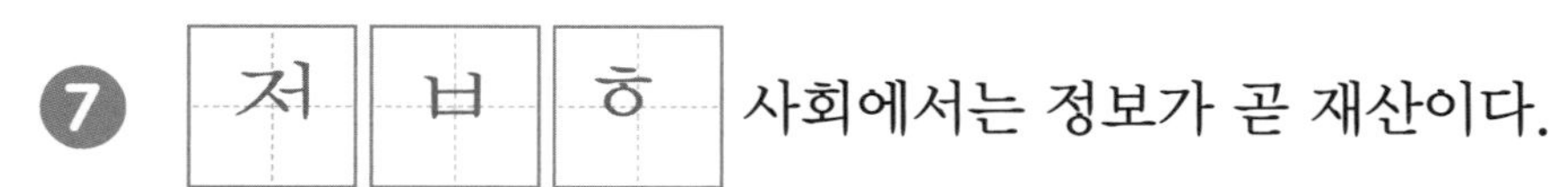

7 저 ㅂ ㅎ 사회에서는 정보가 곧 재산이다.

사회에서 정보가 중요한 자원이 되어 중심 역할을 담당하는 것

8 다른 사람의 권리를 함부로 치 ㅎ 해서는 안 된다.

남의 땅이나 권리, 재산 등을 범하여 해를 끼침.

9 ㅈ ㅊ ㅅ 으로 인해 초등학교 입학생의 숫자가 줄어들고 있다.

태어나는 아이의 수가 줄어드는 현상

10 노인 인구가 늘어나면서 동네에 노인 ㅇ 야 ㅇ 이 많이 들어섰다.

환자들이 몸을 보살피고 병을 치료할 수 있도록
시설을 갖추어 놓은 기관

11 요즘은 개, 고양이 등의 바 ㄹ ㄷ ㅁ 과 함께 사는 가정이 많다.

사람이 가까이 두고 기르며 친밀하게 여기는 동물

12 나는 부모님이 마 ㅂ ㅇ 를 하셔서 학교가 끝나면 언니와 시간을 보낸다.

부부가 모두 직업을 가지고 돈을 벎. 또는 그런 일

24일

월

일

어휘력을 높이는 확인 학습

다음 빈칸에 글자를 넣어 낱말을 완성하세요.

1 □행	행복하지 아니함.
2 □궐	임금이 사는 큰 집
3 □주의	조심을 하지 아니함.
4 □두통	머리 한쪽이 아픈 증세
5 □장□리	끝에 해당되는 부분
6 □손	헐거나 깨뜨려 못 쓰게 만듦.
7 □식	좋아하는 음식만 가려서 먹음.
8 □의	형편이나 조건 등이 편하고 좋음.
9 □균형	어느 편으로 치우쳐 고르지 않음.
10 유□	앞선 인류가 후손들에게 남긴 물건

정답 1. 불 2. 대 3. 부 4. 편 5. 가, 자 6. 훼 7. 편 8. 편 9. 불 10. 물

11 □리□	인터넷 홈페이지의 우리말
12 □나무□리	한 개의 통나무로 놓은 다리
13 유□	밖으로 흘러 나가거나 흘려 내보냄.
14 □화	사람들이 가지고 있는 공통의 생활 방식
15 □해	남의 땅이나 권리, 재산 등을 범하여 해를 끼침.
16 □차	임금, 기술 수준 따위가 서로 벌어져 다른 정도
17 □벌□	부부가 모두 직업을 가지고 돈을 벎. 또는 그런 일
18 문□재	역사적 문화 활동에 의해 창조된 가치가 뛰어난 사물
19 정□화	사회에서 정보가 중요한 자원이 되어 중심 역할을 담당하는 것
20 고□돌	큰 돌을 받침대 삼아 그 위에 넓적한 돌을 올려놓은 선사 시대의 무덤

정답 11. 누, 집 12. 외, 다 13. 출 14. 문 15. 침 16. 격 17. 맞, 이 18. 화 19. 보 20. 인

감동을 나누며 읽어요

국어 교과서 276~299쪽

1 주제별 어휘 사물놀이

사물놀이는 풍년을 기원하거나 마을에 큰일이 있을 때 벌이던 우리 전통의 풍물놀이가 변형된 것이에요. '북, 징, 장구, 꽹과리'의 네 가지 악기로 연주한다 하여 사물놀이라고 부르지요.

다음 그림에 알맞은 낱말을 써 보세요.

1

둥근 나무통 양쪽에 가죽을 대어 두드려서 소리를 내는 악기

2

놋쇠로 큰 그릇처럼 만들어 채로 쳐서 소리를 내는 악기

3

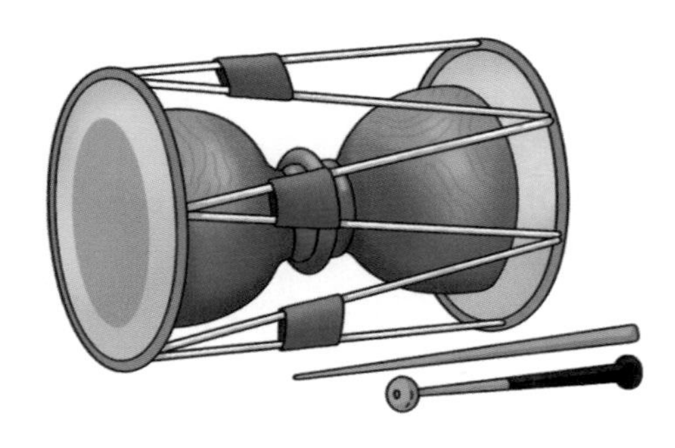

가운데가 잘록한 나무통 양쪽에 가죽을 대어 두드려서 소리를 내는 악기

4

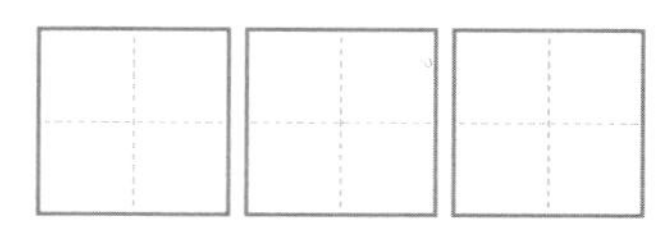

놋쇠로 작은 그릇처럼 만들어 채로 쳐서 소리를 내는 악기

2 잘못 쓰기 쉬운 말 안쓰럽다

'남의 처지나 형편이 가엾고 불쌍하다.'라는 뜻인 '안쓰럽다'는 '안스럽다'로 잘못 쓰는 경우가 많아요. 올바른 표현을 기억해 두세요.

어린아이가 안쓰럽다.
안스럽다(×)

25일
월
일

다음 문장에 알맞은 낱말을 찾아 ○표 하세요.

1. 그는 열심히 일해서 장가갈 (밑천 / 민천)을 장만하였다.
   바탕이 되는 돈이나 물건, 재주 등을 이르는 말

2. 그가 나를 감쪽같이 속이다니. 너무 (괘씸하다 / 괴씸하다).
   말이나 행동이 못마땅하고 밉다.

3. 아침을 먹지 않고 학교에 왔더니 (몹씨 / 몹시) 배가 고프다.
   더할 수 없이 심하게

4. 다음 과학 시간에는 각자 (넓적한 / 넙쩍한) 그릇을 준비해야 한다.
   반듯하고 얇으면서 꽤 넓은

5. 어머니는 밤낮으로 일하는 아들이 (안쓰러웠다 / 안스러웠다).
   남의 처지나 형편이 가엾고 불쌍했다.

6. 민수의 행동은 분위기를 즐겁게 만드는 데 (한몫 / 한목)을 톡톡히 했다.
   한 사람이 맡은 역할

3 움직임을 나타내는 말 토라지다

'토라지다'는 '마음이 상해서 싹 돌아서다.'라는 뜻의 낱말이에요.

아무것도 아닌 일로 **토라지다**.
마음이 상해서 싹 돌아서다.

밑줄 친 말과 바꿔 쓸 수 있는 낱말을 [보기]에서 찾아 써 보세요.

보기

헤매다　뒤엉키다　움켜쥐다　토라지다　발름거리다　버둥거리다

1. 아기가 알밤을 손안에 꽉 잡고 놓지 않다. →
2. 강아지의 코가 자꾸 넓어졌다 오므라졌다 하다. →
3. 동생이 사소한 일에 마음이 상해서 싹 돌아서다. →
4. 처음 가는 곳이라 갈 곳을 모르고 이리저리 돌아다니다. →
5. 머릿속에서 여러 생각이 마구 섞여서 한 덩어리가 되다. →
6. 당나귀가 자빠진 채 팔다리를 내저으며 계속 움직이다. →

4 모양을 흉내 내는 말 꼬깃꼬깃

'꼬깃꼬깃'은 '구김살이 생기게 자꾸 함부로 구기는 모양'을 뜻하는 말이에요. '고깃고깃'과 비슷하지만 보다 센 느낌을 주는 낱말이에요.

꼬깃꼬깃 접은 돈
막 구겨진 모양

빈칸에 알맞은 낱말을 [보기]에서 찾아 써 보세요.

보기

꼬깃꼬깃 그렁그렁 덩실덩실 모락모락 후끈후끈

1. 금방 쪄 낸 노란 옥수수에서 김이 ( ) 난다.
   연기나 냄새 등이 조금씩 계속 피어오르는 모양

2. 노랫소리에 맞춰 동생과 나는 ( ) 춤을 추었다.
   신이 나서 팔다리를 흥겹게 자꾸 놀리며 춤추는 모양

3. 나는 친구에게 핀잔을 듣고 얼굴이 ( ) 달아올랐다.
   뜨거운 기운을 받아 갑자기 달아오르는 모양

4. 슬픈 영화를 보고 나서 민주의 눈에 눈물이 ( ) 맺혔다.
   눈물이 눈에 넘칠 듯이 고여 있는 모양

5. 주머니를 뒤져 보니 ( ) 접힌 종이쪽지 한 장이 나왔다.
   구김살이 생기게 자꾸 함부로 구기는 모양

5 띄어쓰기 뿐, 대로, 만큼

'뿐, 대로, 만큼'은 이름을 나타내는 말이나 수를 나타내는 말 뒤에서는 앞말과 붙여 쓰고 '-은, -는, -을, -던'과 같이 '-ㄴ, -ㄹ'로 끝나는 말 뒤에서는 앞말과 띄어 써요.

나만큼 너도 힘들겠다.
앞말과 붙여 써요.

먹을 만큼 덜어서 드세요.
앞말과 띄어 써요.

다음 문장을 주어진 횟수에 따라 바르게 띄어 써 보세요.

1. 너에게줄것은이것뿐이다.(3회)

너												
다	.											

2. 누구나노력한만큼대가를얻는다.(4회)

누												
를												

3. 우리만큼친하게지내는사람이있을까?(4회)

우												
사												

4. 그는얼마나굶었던지닥치는대로먹었다.(5회)

그												
치												

6 헷갈리기 쉬운 말 때다/떼다

'때다'는 '난로, 아궁이에 불을 태우다.'라는 뜻의 낱말이고 '떼다'는 '붙어 있거나 이어져 있는 것을 떨어지게 하다.'라는 뜻의 낱말이에요.

난로에 불을 **때다.**
타게 하다.

병에 붙은 스티커를 **떼다.**
떨어지게 하다.

주어진 뜻을 참고하여 문장에 어울리는 낱말을 찾아 ○표 하세요.

때다	난로, 아궁이에 불을 태우다.
떼다	붙어 있거나 이어져 있는 것을 떨어지게 하다.

1. 새 옷에 붙어 있는 상표를 (뗐다 / 뗐다).

2. 날씨가 추워져서 방에 불을 (땠다 / 뗐다).

3. 대문에 붙어 있는 광고지를 모두 (땠다 / 뗐다).

업다	등에 대고 손으로 붙잡거나 동여매어 붙어 있게 하다.
엎다	물건 따위를 거꾸로 돌려 위가 밑을 향하게 하다.

4. 엄마는 동생을 (업은 / 엎은) 채로 자장가를 부르셨다.

5. 사용한 컵을 깨끗이 씻어 선반 위에 (업어 / 엎어) 놓았다.

6. 나는 색연필이 보이지 않아 서랍을 (업어서 / 엎어서) 살펴보았다.

7 한자어 면–

한자어로 이루어진 우리말에는 '얼굴'을 뜻하는 '면–'으로 시작하는 말이 많이 있어요. 비슷한 말들을 함께 익혀 두면 기억하는 데 도움이 돼요.

면(面) '얼굴'의 뜻

빈칸에 알맞은 낱말을 [보기]에서 찾아 써 보세요.

보기

면담 면목 면상 면전 면접 면회

1. 사촌 형은 내일 방송국에 ( ) 을 보러 간다.
   직접 만나 묻는 말에 대답하는 시험

2. 그는 ( ) 이 잘생겨서 친구들에게 인기가 많다.
   얼굴의 생김새

3. 오늘부터 하루에 한 명씩 선생님과 ( ) 을 한다.
   서로 만나서 이야기함.

4. 내가 약속을 지키지 못해 그를 대할 ( ) 이 없다.
   남을 대할 체면

5. 친구의 부탁을 ( ) 에서 거절하는 것은 쉽지 않다.
   보고 있는 앞

6. 이 병원은 환자의 ( ) 가 하루에 두 번만 가능하다.
   어떤 기관이나 집단생활을 하는 곳에 찾아가 사람을 만나봄.

8 뜻을 더하는 말 치-

'치-'는 다른 말의 앞에 붙어 '위로 향하게' 또는 '위로 올려'의 뜻을 더하는 말이에요. 이와 같은 뜻을 더하는 말들을 잘 사용하면 보다 섬세한 표현을 만들 수 있어요.

공을 머리로 **받다**.
머리나 뿔 따위로 세차게 부딪치다.

공을 머리로 **치받다**.
아래에서 위쪽을 향하여 받다.

빈칸에 알맞은 낱말을 써서 문장을 완성해 보세요.

1. 화가 나서 눈을 치 ㄸ ㄷ.
   눈을 위쪽으로 뜨다.

2. 날아오는 공을 머리로 치 ㅂ ㄷ.
   아래에서 위쪽을 향하여 받다.

3. 글을 몇 번이나 내리읽고 치 이 ㄷ.
   밑에서 위쪽으로 글을 읽다.

4. 불이 나자 검은 연기가 하늘로 치 ㅅ ㄷ.
   위쪽으로 힘차게 솟다.

5. 내리막길로 내려가려는 수레를 힘껏 치 ㅁ ㄷ.
   아래에서 위로 힘차게 밀어 올리다.

6. 사냥꾼에게 쫓기던 노루가 산등성이로 치 ㄷ ㄷ.
   위쪽으로 달리거나 달려 올라가다.

9 낱말 퀴즈

문장에 섞여 있는 글자 카드의 순서를 알맞게 하여 써 보세요.

1. 마른하늘에서 갑자기 [락][날][벼] 떨어지는 소리가 났다.
   느닷없이 치는 벼락
   → [ ][ ][ ]

2. [천][후][악]로 인해 공항의 모든 비행기가 운항을 중단했다.
   몹시 나쁜 날씨
   → [ ][ ][ ]

3. 냇가에서 동네 [네][아][낙]들이 수다를 떨며 빨래를 하고 있다.
   남의 집 부녀자를 통속적으로 이르는 말
   → [ ][ ][ ]

4. 산악 대원들은 [보][라][눈]가 몰아치는 상황 속에서도 정상을 향해 나아갔다.
   바람에 불리어 휘몰아쳐 날리는 눈
   → [ ][ ][ ]

5. 아버지는 외출을 하실 때면 항상 [수][석][조]에 어머니를 태우고 함께 가신다.
   자동차 운전석 옆자리
   → [ ][ ][ ]

10 바꿔 쓸 수 있는 말 날짜 표현

날짜를 나타내는 말에는 한자어와 고유어가 있어요. 한자어 '십일'은 '열 날의 기간'을 뜻하는데 이는 고유어 '열흘'로 바꿔 쓸 수 있어요.

십일 동안 = **열흘** 동안

27일 월 일

밑줄 친 낱말과 바꿔 쓸 수 있는 낱말을 써 보세요.

1. 사흘이 멀다 하고 들렀다. → ☐ 일
2. 일주일 중 닷새를 일하고 이틀은 쉰다. → ☐ 일
3. 여름휴가 중에 나흘을 시골에서 보냈다. → ☐ 일
4. 사귀는 남자가 여드레 동안 연락이 없다. → ☐ 일
5. 그들은 열흘 후에 결혼식을 올릴 예정이다. → ☐ 일
6. 엿새 동안의 여행으로 그는 수염이 덥수룩하다. → ☐ 일
7. 이번 감기가 심해 무려 아흐레를 앓아누워 있었다. → ☐ 일

11 타교과 어휘 과학

빈칸에 알맞은 낱말을 써서 문장을 완성해 보세요.

1. 세탁을 너무 자주 하면 | 서 | ㅇ | 가 많이 상한다.
   가늘고 긴 실 모양의 물질

2. | ㅈ | 지 | 으로 땅이 흔들리고 건물의 벽이 무너졌다.
   땅이 끊어지면서 흔들리는 것

3. 폭발음과 함께 화산에서 용암이 | 부 | ㅊ | 하기 시작했다.
   액체나 기체가 바깥으로 뿜어져 나옴.

4. | 오 | ㅊ | 이 있는 지역은 관광지로 개발될 가능성이 높다.
   땅속의 열에 의해 데워진 따뜻한 물이 있는 곳

5. 지붕이 | 바 | ㅅ | 가 제대로 되지 않아서 천장에서 빗물이 샌다.
   물이 새어 들어오는 것을 막음.

6. 바닥에 바른 | ㅅ | 메 | ㅌ | 가 완전히 마를 때까지는 밟으면 안 된다.
   물을 섞어 반죽하여 굳어지면 단단해지는 물질로 건물을 지을 때 사용함.

밑줄 친 낱말에 알맞은 뜻을 찾아 연결하세요.

1	화산이 폭발하면서 주변 지역이 화산재로 뒤덮였다.	• •	커다란 바위
2	그 산은 온통 암석으로 뒤덮여 있어서 오르기가 힘들었다.	• •	일상생활에 쓰이는 물
3	이 건물은 규모 6.0의 지진에도 견딜 수 있게 지어졌다.	• •	사물이나 현상의 크기나 범위
4	오랜 가뭄으로 생활용수가 부족해 주민들이 어려움을 겪고 있다.	• •	바닷물에서 소금을 제거하여 민물을 만듦.
5	빨래를 널어놓으면 물기가 서서히 증발한다.	• •	어떤 물질이 액체 상태에서 기체 상태로 변함.
6	담수화 기술을 사용하면 바다로부터 생활에 필요한 물을 얻을 수 있다.	• •	화산에서 나온 용암의 부스러기 가운데 크기가 매우 작은 알갱이

어휘력을 높이는 확인 학습

다음 빈칸에 낱말을 넣어 문장을 완성하세요.

치솟다

위쪽으로 힘차게 솟다.

예 태풍이 오자 파도가 하늘로 □□았다.

헤매다

갈 곳을 모르고 이리저리 돌아다니다.

예 나는 친구의 집을 못 찾아서 골목을 한참 □맸다.

한몫

한 사람이 맡은 역할

예 오늘은 나도 손님 접대를 하는 데 □□ 거들었다.

면목

남을 대할 체면

예 우리 팀이 이번 시합에서 져서 감독님을 볼 □□이 없다.

꼬깃꼬깃

구김살이 생기게 자꾸 함부로 구기는 모양

예 나는 다 쓴 종이를 □□□□ 접어 휴지통에 넣었다.

후끈후끈

뜨거운 기운을 받아 갑자기 달아오르는 모양

예 동생은 감기에 걸려서 이마가 열로 □□□□ 달아올랐다.

괘씸하다

말이나 행동이 못마땅하고 밉다.

예 믿었던 친구가 나에게 거짓말을 한 것을 생각하면 매우 □□□□.

면회

어떤 기관이나 집단생활을 하는 곳에 찾아가 사람을 만나봄.

예 이 병원은 환자의 □□가 오후 1시부터 5시까지로 제한되어 있다.

나흘	네 날 예 그는 심한 감기에 걸려 □□을 앓아누워 있었다.
악천후	몹시 나쁜 날씨 예 □□□로 예정되어 있던 야구 경기가 취소되었다.
아흐레	아홉 날 예 여기서 고향까지 걸어서 가려면 □□□가 걸린다.
방수	물이 새어 들어오는 것을 막음. 예 이 등산복은 □□가 잘 돼서 비가 와도 끄떡없다.
밑천	바탕이 되는 돈이나 물건, 재주 등을 이르는 말 예 그는 장사를 하기 위해 □□을 든든히 준비해 두었다.
생활용수	일상생활에 쓰이는 물 예 물을 계속 오염시키면 □□□□가 부족하게 될 것이다.
분출	액체나 기체가 바깥으로 뿜어져 나옴. 예 갑작스런 추위로 얼어서 터진 상수도관에서 수돗물이 □□했다.
조수석	자동차 운전석 옆자리 예 □□□에 앉으면 운전자가 졸음운전을 하지 않는지 살펴야 한다.

MEMO

초등국어
어휘력 향상을 위한
어휘왕
4-2

이룸이앤비
Education&Books

1장 이어질 장면을 생각해요

국어 교과서 36~59쪽

1 사건의 흐름 1

사건이란 이야기 속 인물들이 겪거나 벌이는 일을 말해요. 사건의 단계는 발단→ 전개→ 위기→ 절정→ 결말로 이어져요.

다음은 사건의 각 단계에 대한 설명이에요. 빈칸에 알맞은 낱말을 [보기]에서 찾아 써 보세요.

보기: 시작 진행 긴장감 마무리 실마리

① 발단 ⇨ 사건이 벌어지거나 처음으로 [시작] 되는 단계

② 전개 ⇨ 사건이 [진행] 되며, 점점 복잡해지는 단계

③ 위기 ⇨ 사건의 갈등이 깊어지면서 [긴장감] 이 커지는 단계

도움말▼ '절정'은 긴장감이 가장 커지는 단계라고 이해하면 돼요. 해결의 실마리는 이야기에 따라 '결말'에서 나타나기도 해요.

④ 절정 ⇨ 사건의 갈등이 심해지다가 [실마리] 가 드러나는 단계

일을 풀어나갈 수 있는 첫머리

⑤ 결말 ⇨ 사건의 갈등이 모두 해결되고 [마무리] 되는 단계

2 사건의 흐름 2

다음은 '토끼전'의 이야기예요. 이야기를 읽고 각 사건의 단계를 써 보세요.

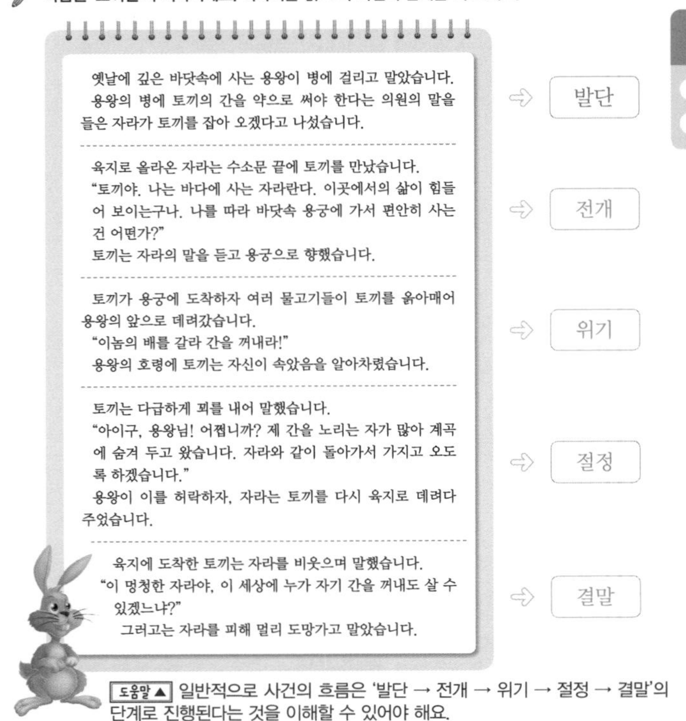
옛날에 깊은 바닷속에 사는 용왕이 병에 걸리고 말았습니다. 용왕의 병에 토끼의 간을 약으로 써야 한다는 의원의 말을 들은 자라가 토끼를 잡아 오겠다고 나섰습니다. ⇨ [발단]

육지로 올라온 자라는 수소문 끝에 토끼를 만났습니다.
"토끼야. 나는 바다에 사는 자라란다. 이곳에서의 삶이 힘들어 보이는구나. 나를 따라 바닷속 용궁에 가서 편안히 사는 건 어떤가?"
토끼는 자라의 말을 듣고 용궁으로 향했습니다. ⇨ [전개]

토끼가 용궁에 도착하자 여러 물고기들이 토끼를 옭아매어 용왕의 앞으로 데려갔습니다.
"이놈의 배를 갈라 간을 꺼내라!"
용왕의 호령에 토끼는 자신이 속았음을 알아차렸습니다. ⇨ [위기]

토끼는 다급하게 꾀를 내어 말했습니다.
"아이구, 용왕님! 어쩝니까? 제 간을 노리는 자가 많아 계곡에 숨겨 두고 왔습니다. 자라와 같이 돌아가서 가지고 오도록 하겠습니다."
용왕이 이를 허락하자, 자라는 토끼를 다시 육지로 데려다 주었습니다. ⇨ [절정]

육지에 도착한 토끼는 자라를 비웃으며 말했습니다.
"이 멍청한 자라야, 이 세상에 누가 자기 간을 꺼내도 살 수 있겠느냐?"
그러고는 자라를 피해 멀리 도망가고 말았습니다. ⇨ [결말]

도움말▲ 일반적으로 사건의 흐름은 '발단 → 전개 → 위기 → 절정 → 결말'의 단계로 진행된다는 것을 이해할 수 있어야 해요.

3 주제별 어휘 왕의 의관

'의관'은 '정식으로 갖춰 입는 옷차림'을 뜻하는 말이에요. 조선 시대에 왕을 비롯한 양반들은 의관을 갖추는 것을 매우 중요하게 생각했어요.

빈칸에 알맞은 낱말을 [보기]에서 찾아 써 보세요.

보기: 보 면복 옥대 곤룡포 면류관 익선관

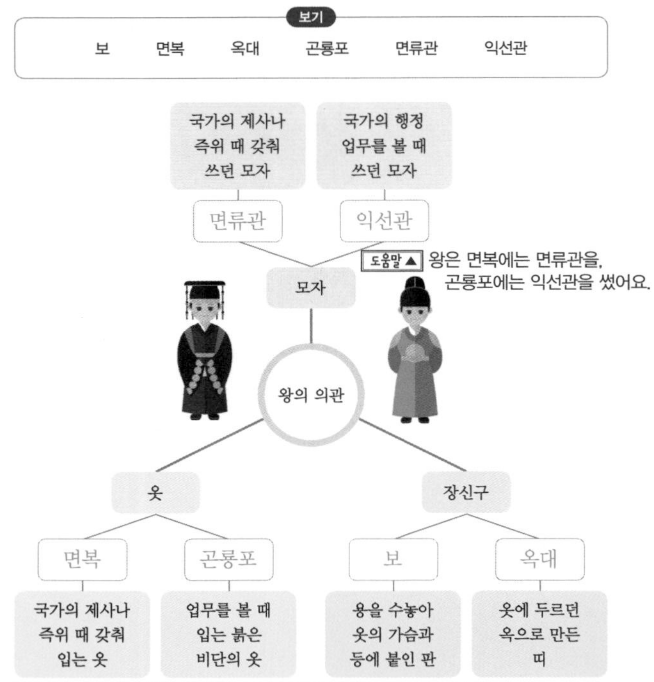

도움말▲ 왕은 면복에는 면류관을, 곤룡포에는 익선관을 썼어요.

도움말▲ '면복'은 흔히 '면류관과 곤룡포'를 이르는 말로도 쓰이지만, 곤룡포와는 구분하여 왕이 국가 행사나 제사 때 입는 옷을 가리키는 말로 쓰였어요.

4 합쳐진 말 눈물방울

'눈물'과 '방울'이 만나서 '눈물방울'이라는 새로운 낱말이 생겨났어요. 이렇게 낱말과 낱말이 합쳐져서 하나의 낱말이 되기도 해요.

눈물 + 방울 → 눈물방울

도움말▲ '합쳐진 말'은 새롭게 생겨난 하나의 낱말이므로, 띄어 쓰지 않고 붙여 써야 해요.

주어진 세 낱말에 모두 붙여 쓸 수 있는 낱말을 [보기]에서 찾아 써 보세요.

보기: 극 짓 고기 구름 방울 잔치

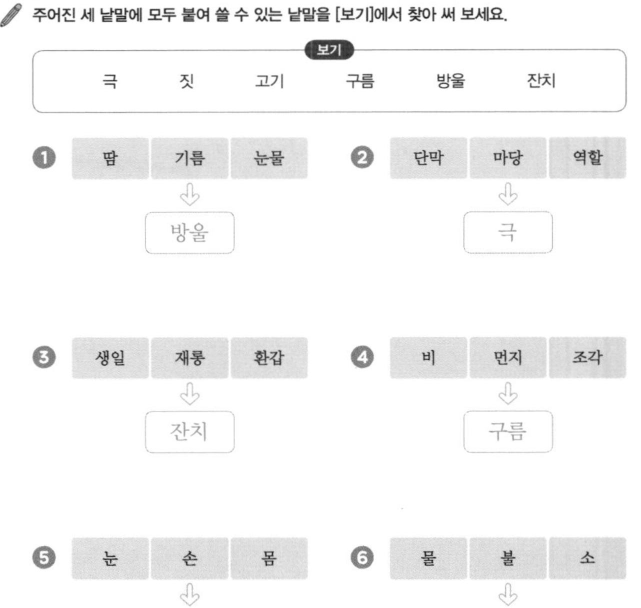

5 성격을 나타내는 말 성실하다

말과 행동을 보면 그 사람의 성격을 짐작할 수 있어요.

그는 모든 일에 정성스럽고 열심이다. → 그는 성실하다.

밑줄 친 부분에 어울리는 낱말을 [보기]에서 찾아 써 보세요.

보기
거만하다 근면하다 나태하다 당당하다 소심하다

도움말▲ '나태하다'는 '게으르다'로, '근면하다'는 '부지런하다'로, '당당하다'는 '떳떳하다' 정도의 뜻으로 이해할 수 있으면 돼요.

1. 내 동생은 게을러서 방학 숙제를 미루어 두었다.
   ⇨ 내 동생은 나태하다.
   행동, 성격 따위가 느리고 게으르다.
2. 그녀는 매일 아침 일찍 일어날 만큼 부지런하다.
   ⇨ 그녀는 근면하다.
   꾸준하고 부지런하다.
3. 그 정치가는 많은 사람들 앞에서 떳떳하게 말했다.
   ⇨ 그 정치가는 당당하다.
   남 앞에서 내세울 만큼 모습이나 태도가 떳떳하다.
4. 그는 위층의 층간 소음에도 아무런 말을 하지 못한다.
   ⇨ 그는 소심하다.
   대담하지 못하고 조심성이 지나치게 많다.
5. 반장은 시험에서 1등을 한 사실을 여기저기 뽐내고 다녔다.
   ⇨ 반장은 거만하다.
   잘난 체하며 남을 업신여기는 데가 있다.

도움말▲ '거만하다'는 '잘난 체하며 남을 무시하는 데가 있다.'는 의미를 가지고 있어요.

6 뜻을 보충하는 말 버리다

앞말의 행동이 이미 끝났음을 강조할 때에는 앞말에 '버리다'를 붙여 써요. 이 낱말은 필요 없는 물건을 내던질 때 쓰는 '버리다'와는 전혀 다른 말이에요.

나무를 베다. → 나무를 베어 버리다.
'이미 끝났음.'을 강조

도움말▲ '베어'와 '버렸다' 사이에 '-서'를 넣어 보면, '버리다'가 뜻을 보충하는 말로 쓰였는지, 동작을 나타내는 말로 쓰였는지를 알 수 있어요.

밑줄 친 낱말이 '이미 끝났음.'의 의미를 포함하도록 바꾸어 써 보세요.

1. 나를 남기고 모두 갔다. ⇨ 가 버렸다
2. 토요일에 숙제를 다 했다. ⇨ 해 버렸다
3. 나도 모르게 눈을 감았다. ⇨ 감아 버렸다
4. 동생이 내 사과를 먹었다. ⇨ 먹어 버렸다
5. 비가 와서 옷이 다 젖었다. ⇨ 젖어 버렸다
6. 너무 피곤해서 바닥에 그대로 누었다. ⇨ 누워 버렸다

7 잘못 쓰기 쉬운 말 떡볶이

간식으로 즐겨 먹는 '떡볶이'를 소리 나는 대로 쓰려다 보면 잘못 쓰기 쉬워요. '떡뽀끼'나 '떡뽂기'로 쓰지 않도록 주의해야 해요.

떡볶이를 해 먹다.
떡뽀끼(×), 떡뽂기(×)

다음 문장에 알맞은 낱말을 찾아 ○표 하고, 바르게 써 보세요.

1. 친구에게 화가 난 (까닥 / (까닭))을 물었다. — 까닭
2. 할아버지는 수술을 다섯 (차레 / (차례))나 받으셨다. — 차례
   반복되는 일이 일어나는 횟수를 세는 말
3. 그의 집은 매우 크고 화려해서 (궁결 / (궁궐)) 같았다. — 궁궐
   임금이 사는 큰 집
4. 그 예술가는 (페품 / (폐품))을 모아 작품을 만들었다. — 폐품
   다 쓰고 낡아서 버리는 물건
5. 엄마가 (떡뽀끼 / (떡볶이))를 해 주셨다. — 떡볶이
6. 찌개는 ((뚝배기) / 뚝빼기)에 끓여야 맛있다. — 뚝배기
   찌개를 끓이거나 설렁탕 따위를 담을 때 쓰는 그릇

도움말▲ 'ㄱ, ㅂ' 받침 뒤에 된소리가 나더라도 같은 글자가 겹쳐 나는 경우가 아니면 '뚝빼기(×)'와 같이 된소리로 적지 않아요.

7. 남은 반찬으로 (복음밥 / (볶음밥))을 해 먹었다. — 볶음밥

8 뜻이 반대인 말 행복/불행

'행복'의 반대말에는 '불행', '불우' 등이 있어요. 하지만 낱말의 쓰임에 따라 그에 맞는 반대말이 있지요.

그는 행복을 느낀다. ⇄ 그는 짝을 찾지 못해 불행하다.
만족하여 흐뭇함. 불우(×)

다음 문장을 바르게 고치려고 해요. 밑줄 친 낱말과 뜻이 반대인 말을 찾아 ○표 하세요.

도움말▲ 밑줄 친 낱말과 주어진 낱말을 바꾸어 읽어 보면서 어울리는 말을 찾으면 돼요.

1. 친구와 오해를 풀고 갈등했다. ⇨ 양보 (화해)
   입장이나 의견 차이로 생기는 충돌
2. 승부가 날 때까지 놀이를 중단했다. ⇨ 연속 (계속)
   중간에 멎거나 그만둠.
3. 원하는 것을 모두 이룬 그녀는 불행했다. ⇨ 다행 (행복)
4. 오누이는 엄마가 돌아오지 않아 안심했다. ⇨ (걱정) 안정
   마음을 편히 가짐.
5. 친구가 발표할 때에는 주의를 분산해야 한다. ⇨ 몰입 (집중)
   갈라져 흩어짐.
6. 조건이 결핍되면 선생님의 의견을 따르겠습니다. ⇨ (충족) 충전
   있어야 할 것이 없어지거나 모자람.

9 띄어쓰기 ○ 번

'번'은 '한', '두', '열' 등의 말 뒤에 써서 '수'를 나타내거나, 차례를 나타내는 말로 쓰여요. 이 때 앞말과는 띄어 써야 해요.

한 번에 하나씩 　　 다음 번 차례는 너야.

도움말▲ 일의 차례나 횟수를 나타내는 말인 '번'은 앞말과 띄어 쓴다고 기억하면 쉬워요.

다음 밑줄 친 부분을 바르게 띄어 써 보세요.

1. 한번만 도와줘. ⇨ 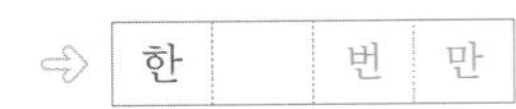

2. 나한테 몇번이나 물어봤었어. ⇨ 

3. 이곳은 여러번에 걸쳐 방문한 곳이다. ⇨ 

4. 나는 두번얘기 안 한다. ⇨ 

5. 문제를 열번안에 맞춰야 한다. ⇨ 

6. 다음번에는 반드시 합격해야지. ⇨ 

10 헷갈리기 쉬운 말 (으)로서/(으)로써

'(으)로서'는 '지위나 신분 또는 자격을 나타내는 말'이고 '(으)로써'는 '어떤 일의 수단이나 도구를 나타내는 말'이에요.

반장으로서 할 말이 있다. (자격으로) 　　 대화로써 해결하자. (수단으로)

도움말▲ '~을 가지고'의 뜻을 가지고 있으면 '(으)로써'로, 그렇지 않으면 '(으)로서'로 쓴다고 기억하면 쉬워요.

다음 문장에 어울리는 표현을 찾아 ○표 하세요.

1. 친구(로서 / 로써) 너를 믿는다. — 로서
2. 말(로서 / 로써) 천 냥 빚을 갚는다. — 로써
3. 눈물(로서 / 로써) 호소할 수밖에 없다. — 로써
4. 사람(으로서 / 으로써) 한 점 부끄러움이 없다. — 으로서
5. 수술하지 않고 약(으로서 / 으로써) 병을 치료한다. — 으로써
6. 나는 학생(으로서 / 으로써) 공부를 게을리하지 않을 것이다. — 으로서

11 타교과 어휘 사회

주어진 낱말에 알맞은 뜻을 찾아 연결하세요.

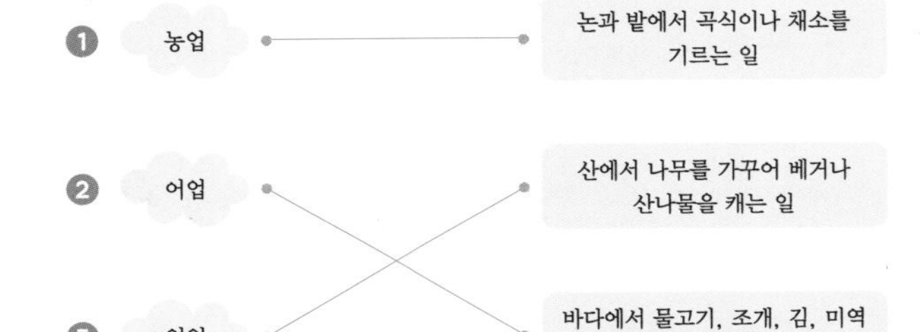

도움말▲ 논과 밭에서 하는 일은 '농업', 바다에서 하는 일은 '어업', 산에서 하는 일은 '임업'이에요.

뜻에 알맞은 낱말을 [보기]에서 찾아 써 보세요.

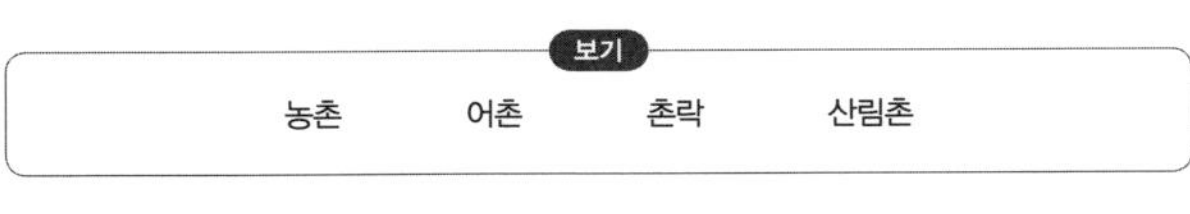

1. 시골의 마을 ⇨ 

2. 주민의 대부분이 농업에 종사하는 마을이나 지역 ⇨ 

3. 주민의 대부분이 임업에 종사하는 마을이나 지역 ⇨ 

4. 주민의 대부분이 어업에 종사하는 마을이나 지역 ⇨ 어촌

빈칸에 알맞은 낱말을 써서 문장을 완성해 보세요.

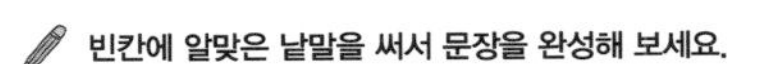

1. 할아버지는 고향으로 [귀촌]하여 농사를 짓고 계신다.
도시에 살던 사람들이 촌락으로 삶의 터전을 옮기는 것

2. 이곳은 인구가 [밀집]된 지역이라 편의 시설이 많이 있다.
빈틈없이 빽빽하게 모임.

3. 두 나라는 서로 문화를 [교류]하며 좋은 관계를 유지하고 있다.
사람들이 오고 가거나 물건, 기술, 문화 등을 서로 주고받는 것

도움말▼ 오늘날에는 이웃 학교를 넘어 다양한 국가의 학교와도 자매결연을 맺고 있어요.

4. 우리 학교는 이웃 학교와 [자매결연]을 맺었다.
한 지역이나 단체가 다른 지역이나 단체와 서로 돕거나 사이좋게 지내기 위하여 관계를 맺는 일

5. 젊은 사람들이 계속 떠나고 있어 농촌이 빠르게 [고령화]되고 있다.
전체 인구에서 노인이 차지하는 비율이 높아지는 현상

6. 새로운 [발전소]가 생기면서 지역 주민들의 전기 사용에 여유가 생기게 되었다.
전기를 일으키는 시설을 갖춘 곳

2장 마음을 전하는 글을 써요

국어 교과서 60~83쪽

1 편지의 형식

편지를 쓸 때에는 상대방에게 전하고자 하는 바를 형식에 맞게 적어 보내야 해요. 편지의 형식을 지키는 것은 상대방에 대한 예의를 갖추는 것이라고 할 수 있어요.

도움말▲ 편지는 얼굴을 보고 하는 대화와는 다르게 자칫 잘못하면 오해를 불러일으킬 수 있어요. 따라서 예의를 갖추어 표현하는 것이 매우 중요해요.

다음은 편지의 형식에 들어갈 내용을 정리한 것이에요. 빈칸에 알맞은 말을 [보기]에서 찾아 써 보세요.

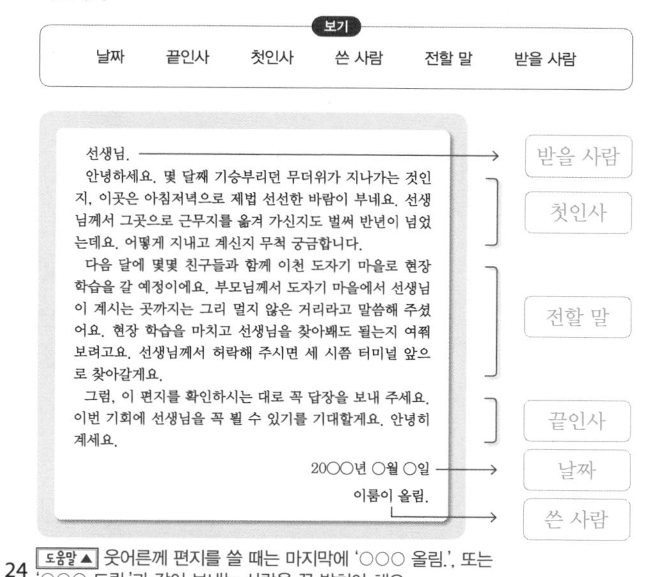

보기: 날짜 끝인사 첫인사 쓴 사람 전할 말 받을 사람

선생님. → 받을 사람

안녕하세요. 몇 달째 기승부리던 무더위가 지나가는 것인지, 이곳은 아침저녁으로 제법 선선한 바람이 부네요. 선생님께서 그곳으로 근무지를 옮겨 가신지도 벌써 반년이 넘었는데요. 어떻게 지내고 계신지 무척 궁금합니다. → 첫인사

다음 달에 몇몇 친구들과 함께 이천 도자기 마을로 현장 학습을 갈 예정이에요. 부모님께서 도자기 마을에서 선생님이 계시는 곳까지는 그리 멀지 않은 거리라고 말씀해 주셨어요. 현장 학습을 마치고 선생님을 찾아봬도 될는지 여쭤 보려고요. 선생님께서 허락해 주시면 세 시쯤 터미널 앞으로 찾아갈게요. → 전할 말

그럼, 이 편지를 확인하시는 대로 꼭 답장을 보내 주세요. 이번 기회에 선생님을 꼭 뵐 수 있기를 기대할게요. 안녕히 계세요. → 끝인사

20○○년 ○월 ○일 → 날짜

이름이 올림. → 쓴 사람

도움말▲ 웃어른께 편지를 쓸 때는 마지막에 '○○○ 올림.', 또는 '○○○ 드림.'과 같이 보내는 사람을 꼭 밝혀야 해요.

2 편지의 종류

다음 상황에 어울리는 편지가 무엇인지 빈칸에 알맞은 낱말을 [보기]에서 찾아 써 보세요.

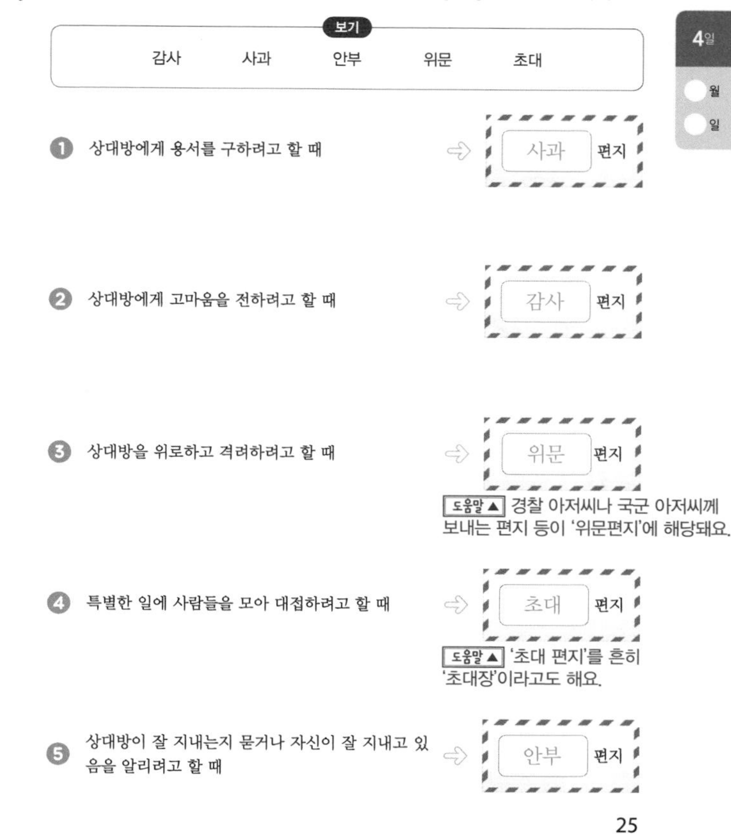

보기: 감사 사과 안부 위문 초대

1. 상대방에게 용서를 구하려고 할 때 → 사과 편지
2. 상대방에게 고마움을 전하려고 할 때 → 감사 편지
3. 상대방을 위로하고 격려하려고 할 때 → 위문 편지

도움말▲ 경찰 아저씨나 국군 아저씨께 보내는 편지 등이 '위문편지'에 해당돼요.

4. 특별한 일에 사람들을 모아 대접하려고 할 때 → 초대 편지

도움말▲ '초대 편지'를 흔히 '초대장'이라고도 해요.

5. 상대방이 잘 지내는지 묻거나 자신이 잘 지내고 있음을 알리려고 할 때 → 안부 편지

3 주제별 어휘 도자기

도자기란 '흙으로 빚어 높은 열에 구워서 만든 그릇'을 말해요. 옛날 우리 선조들은 이렇게 흙으로 도자기를 만들어 그릇으로 사용했어요.

다음은 도자기를 만드는 과정이에요. 빈칸에 알맞은 낱말을 [보기]에서 찾아 써 보세요.

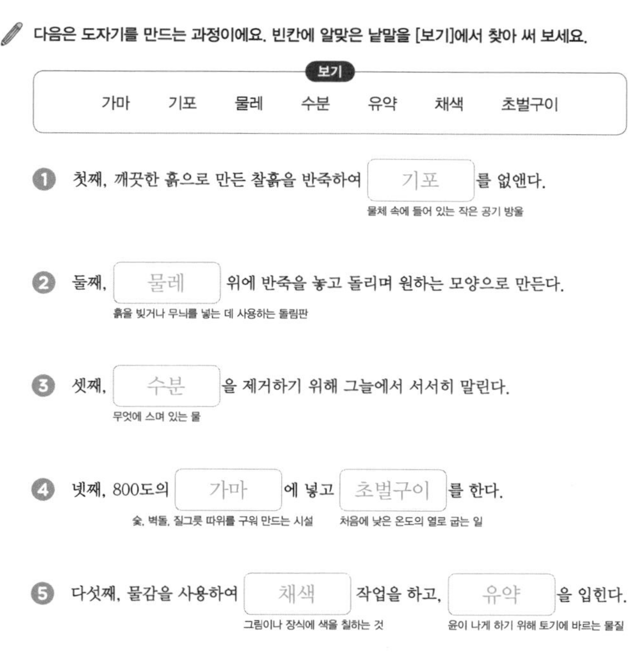

보기: 가마 기포 물레 수분 유약 채색 초벌구이

1. 첫째, 깨끗한 흙으로 만든 찰흙을 반죽하여 기포를 없앤다.
   (물체 속에 들어 있는 작은 공기 방울)
2. 둘째, 물레 위에 반죽을 놓고 돌리며 원하는 모양으로 만든다.
   (흙을 빚거나 무늬를 넣는 데 사용하는 돌림판)
3. 셋째, 수분을 제거하기 위해 그늘에서 서서히 말린다.
   (무엇에 스며 있는 물)
4. 넷째, 800도의 가마에 넣고 초벌구이를 한다.
   (숯, 벽돌, 질그릇 따위를 구워 만드는 시설 / 처음에 낮은 온도의 열로 굽는 일)
5. 다섯째, 물감을 사용하여 채색 작업을 하고, 유약을 입힌다.
   (그림이나 장식에 색을 칠하는 것 / 윤이 나게 하기 위해 토기에 바르는 물질)
6. 여섯째, 1200도 이상의 가마에 넣고 다시 굽는다.
   (숯, 벽돌, 질그릇 등을 구워 만드는 시설)

4 꾸며 주는 말 워낙

'워낙'은 '아주', '매우'의 뜻을 가진 낱말로, 다른 낱말이나 문장을 꾸며 주는 역할을 해요. 꾸며 주는 말의 뜻에 따라 문장의 의미가 달라질 수 있어요.

그는 **워낙** 성질이 급하다. ≠ 그는 **왠지** 성질이 급하다.

다음 빈칸에 들어갈 낱말 중에서 뜻이 다른 하나를 찾아 ○표 하세요.

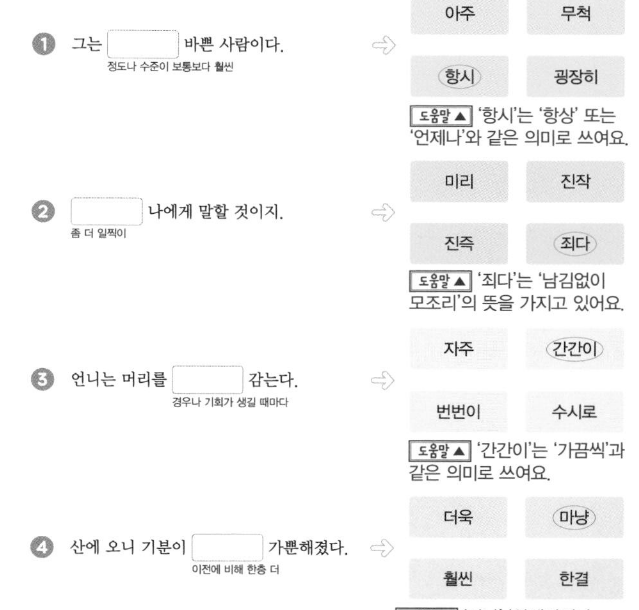

1. 그는 [ ] 바쁜 사람이다. (정도나 수준이 보통보다 훨씬) → 아주 / 무척 / (항시) / 굉장히

도움말▲ '항시'는 '항상' 또는 '언제나'와 같은 의미로 쓰여요.

2. [ ] 나에게 말할 것이지. (좀 더 일찍이) → 미리 / 진작 / 진즉 / (죄다)

도움말▲ '죄다'는 '남김없이 모조리'의 뜻을 가지고 있어요.

3. 언니는 머리를 [ ] 감는다. (경우나 기회가 생길 때마다) → 자주 / (간간이) / 번번이 / 수시로

도움말▲ '간간이'는 '가끔씩'과 같은 의미로 쓰여요.

4. 산에 오니 기분이 [ ] 가뿐해졌다. (이전에 비해 한층 더) → 더욱 / (마냥) / 훨씬 / 한결

도움말▲ '마냥' '언제까지나 계속'과 같은 의미로 쓰여요.

5 뜻을 더하는 말 –껏

'–껏'은 앞말에 붙어 '그것이 닿는 데까지', 또는 '그때까지 내내'의 뜻을 더하는 말이에요.

밑줄 친 부분을 '–껏'을 사용하여 한 낱말로 바꿔 써 보세요.

❶ 

밤이 지나는 동안 꼬박 공부했다.

⇨ 밤 새 껏

도움말▲ '그때까지 내내'의 뜻을 지닌 그 밖의 말로는 '지금껏', '아직껏', '여태껏' 등이 있어요.

❷ 있는 정성을 다하여 아기를 보살폈다.

⇨ 정 성 껏

❸ 음식을 할 수 있는 양의 한도까지 먹었다.

⇨ 양 껏

❹ 

우승을 하려고 있는 힘을 다하여 달렸다.

⇨ 힘 껏

6 형태는 같은데 뜻이 다른 말 반하다

'반하다'는 '마음이 홀린 듯이 쏠리다.'라는 뜻 외에도 '남의 의견이나 법 따위를 따르지 않고 어기다.'라는 뜻을 가지고 있어요.

첫눈에 반하다. (마음이 홀린 듯이 쏠리다.)

법에 반하다. (남의 의견이나 법 따위를 따르지 않고 어기다.)

도움말▲ 두 낱말의 형태는 같지만 뜻이 전혀 다른 경우와, 한 낱말이 여러 가지 뜻을 가지고 있는 경우가 있다는 것을 이해하고 있어야 해요.

빈칸에 공통으로 들어갈 낱말을 써 보세요.

❶ 가 리 다
- ① 우수 모둠을 ☐☐☐. (여럿 가운데서 하나를 구별하여 뽑다.)
- ② 커튼으로 창문을 ☐☐☐. (보이거나 통하지 못하도록 막다.)

❷ 어 리 다
- ① 내 동생은 아직 ☐☐☐. (나이가 적다.)
- ② 그녀의 두 눈에 눈물이 ☐☐☐. (눈에 눈물이 조금 고이다.)

❸ 반 하 다
- ① 그의 행동이 학교 규칙에 ☐☐☐. (남의 의견이나 법 따위를 따르지 않고 어기다.)
- ② 그 가수의 아름다운 목소리에 ☐☐☐. (마음이 홀린 듯이 쏠리다.)

❹ 자 라 다
- ① 선반 위에 손이 ☐☐☐. (일정한 곳을 향하여 뻗었을 때 닿다.)
- ② 나무가 무럭무럭 ☐☐☐. (생물이 부분적으로 또는 전체적으로 점점 커지다.)

7 바꿔 쓸 수 있는 말 고려하다

'고려하다'는 '자세히 따져서 생각하다.'라는 뜻을 가지고 있어요. 이 낱말은 '생각하다'라는 말로 쉽게 표현할 수도 있어요.

그의 사정을 [고려/생각]하다. (바꿔 쓸 수 있음.)

밑줄 친 낱말과 바꿔 쓸 수 있는 낱말을 [보기]에서 찾아 써 보세요.

보기: 고려 공경 당부 예측 체험

❶ 제 입장을 좀 생각해 주세요. (헤아려서 판단함.) ⇨ 고려

도움말▲ 바꿔 쓸 수 있는 말들은 짝을 지어 기억할 수 있도록 해요. 알고 있는 낱말에, 모르거나 낯선 낱말을 묶어 기억하면 쉬워요.

❷ 나는 우리 선생님을 존경한다. (남의 훌륭한 인격을 받들어 모심.) ⇨ 공경

❸ 우리가 속을 줄은 짐작하지 못했다. (사정이나 형편 등을 대강 알아차림.) ⇨ 예측

❹ 할아버지는 전쟁을 경험한 세대이다. (직접 해 보거나 느끼는 것) ⇨ 체험

❺ 엄마는 아빠에게 일찍 들어오라고 부탁했다. (어떤 일을 해 달라고 청하거나 맡김.) ⇨ 당부

8 뜻이 반대인 말 내용/형식

'내용'이 '형식 속에 들어 있는 알맹이'를 가리키는 말이라면, '형식'은 '내용을 담는 틀'이라고 할 수 있어요. 이와 같이 '내용'과 '형식'은 서로 뜻이 반대인 말이에요.

글의 내용 ⟷ 글의 형식

밑줄 친 낱말과 뜻이 반대인 낱말로 빈칸을 채워 문장을 완성하세요.

❶ 내용도 중요하지만, 그것을 담는 형 식 도 중요해.

도움말▲ 뜻이 반대인 낱말들 역시 서로 짝을 지어 기억할 수 있도록 해요.

❷ 올 때 마중을 나왔으면, 갈 때 배 웅 도 해 줘야지. (오는 사람을 나가서 맞이함.)

도움말▲ 오는 사람을 데리러 나가는 것이 '마중'이라면, 떠나는 사람을 일정한 곳까지 따라 나가 보내는 것이 '배웅'이에요.

❸ 그는 태연한 듯 보이지만, 속으로는 무척 당 황 했다. (놀랍거나 급한 상황에서 아주 여유로움.)

❹ 서양 사람들은 주로 밀을 먹지만, 동 양 사람들은 주로 쌀을 먹는다.

❺ 등산할 때에 물이 부족할 수 있으니까, 물병에 물을 충 분 하게 채워라.

❻ 증인은 진실만을 말해야 하고, 거 짓 된 말로 사람들을 속여서는 안 된다.

9 띄어쓰기 한번/한 번

어떤 일을 시험 삼아 해 본다는 뜻의 '한번'은 붙여 써야 하고, 횟수를 나타내는 '한 번'은 띄어 써야 해요.

어디 한번 먹어볼까? (시험 삼아 해 본다는 의미일 때)	한 번에 먹어 볼까? (횟수를 의미할 때)

도움말▲ '한 번'과 '한번'은 전혀 다른 의미로 쓰여요. '한 번'이 횟수를 나타내는 것이라면, '한번'은 '한번 해 보다.'와 같이 어떤 일을 시험 삼아 시도한다는 의미로 쓰여요.

다음 문장에 어울리는 말을 찾아 ○표 하세요.

도움말▲ 주어진 문장을 읽고 '시도'의 의미인지, '횟수'의 의미인지를 파악해 볼 수 있도록 해요.

1. (한번 / 한 번)에 하나씩만 해라.
2. 그는 (한번 / 한 번) 한다면 하는 사람이야.
3. 네 인생의 (한번 / 한 번)뿐인 청춘을 즐겨라.
4. (한번 / 한 번) 하는 것이 어렵지 두 번은 쉬워.
5. 시간이 나면 종종 낚시나 (한번 / 한 번) 하시지요.
6. 아무도 못한다니, 제가 (한번 / 한 번) 나서 보겠습니다.

10 올바른 발음 맑다[막따]

겹받침 'ㄺ'은 뒤에 자음자가 오면 [ㄱ]으로 소리 나요. 다만, 뒤에 자음자 'ㄱ'이 올 경우 [ㄹ]로 소리 나지요.

물이 맑다[막따]. ([ㄱ]으로 소리 남.)	물이 맑고[말꼬] 푸르다. ([ㄹ]로 소리 남.)

도움말▲ 'ㄺ'은 대개 [ㄱ]으로 소리 나지만, 뒤에 자음 'ㄱ'이 오면 겹치는 것을 피하기 위해 [ㄹ]로 소리 난다고 기억하도록 해요.

밑줄 친 낱말의 알맞은 발음을 찾아 ○표 하세요.

1. 물감이 묽다. ⇨ [묵따] [물따]
   물감이 묽고 흐리다. ⇨ [묵꼬] [물꼬]
2. 운동화가 낡다. ⇨ [낙따] [날따]
   운동화가 낡고 더럽다. ⇨ [낙꼬] [날꼬]
3. 그는 늙고 싶지 않았다. ⇨ [늑꼬] [늘꼬]
   그는 늙지 않기 위해 열심히 운동을 했다. ⇨ [늑찌] [늘찌]
4. 조명이 무척이나 밝지? ⇨ [박찌] [발찌]
   조명을 더 이상 밝게 하는 것은 무리야. ⇨ [박께] [발께]
5. 가을 하늘이 맑다. ⇨ [막따] [말따]
   가을 하늘은 더없이 맑고 푸르렀다. ⇨ [막꼬] [말꼬]

6일 월 일

11 타교과 어휘 과학

빈칸에 알맞은 낱말을 써서 문장을 완성해 보세요.

1. 작은 부품들을 [확][대][경]으로 보면서 조립하였다.
   물체의 확대된 모습을 보기 위한 도구
   도움말▲ '확대경'은 '돋보기'의 다른 말이에요.
2. [건][조][기]를 사용하면 빨래를 쉽게 말릴 수 있다.
   물체에 있는 물기를 말리는 장치
3. 나비의 몸빛이 바뀐 것은 오염된 대기 환경에 [적][응]한 결과이다.
   생물이 오랜 기간에 걸쳐 주변 환경에 적합하게 변화되어 가는 것
4. [극][지]에 사는 식물들은 추운 기후를 이겨 내는 생존 전략이 있다.
   북극과 남극 근처의 땅으로 북극권과 남극권이라고 부르기도 함.
5. 그 과학자는 자연에서 일어나는 [현][상]을 연구하여 보고서를 작성했다.
   사물의 모양과 상태
6. 화학 실험을 할 때에는 눈을 보호하기 위해 [보][안][경]을 써야 한다.
   눈을 보호하기 위하여 쓰는 안경

7. 빨래는 잘 [건][조]해야 냄새가 나지 않는다.
   물기나 습기를 말려서 없앰.
8. 방 안이 건조해지지 않도록 [가][습][기]를 틀어 놓았다.
   수증기를 내뿜어 건조하지 않게 만드는 기구
9. 재활용하는 캔을 찌그러뜨려 버리면 [부][피]를 줄일 수 있다.
   물건이 공간에서 차지하는 크기
10. 지구의 대기 중에서 수증기가 [응][결]하여 비나 눈이 만들어진다.
    기체인 수증기가 액체인 물로 상태가 변하는 것
    도움말▲ 기체가 액체로 변하는 것이 '응결'이라면, 액체가 기체로 변하는 것은 '기화'라고 해요.
11. 지난밤 추위에 [수][도][관]이 꽝꽝 얼어 물이 나오지 않는다.
    수돗물을 보내는 관
12. 지붕 위에 쌓였던 눈이 녹아 처마 끝에 [고][드][름]이 잔뜩 달렸다.
    처마 끝에서 떨어지는 물이 밑으로 흐르다가 길게 얼어붙은 얼음

6일 월 일

3장 바르고 공손하게

국어 교과서 84~109쪽

1 대화 예절 1

두 사람 이상이 서로 이야기를 주고받는 것을 '대화'라고 해요. 대화를 할 때에 예절을 지키지 않으면 상대방에게 불쾌감을 줄 수 있어요.

도움말▲ '말을 잘하는 것'과 '대화를 잘 하는 것'은 달라요. '대화를 잘하는 것'은 상대방의 말에 호응하며 이야기를 잘 주고받는 것을 말해요.

다음은 대화를 할 때 지켜야 할 예절이에요. 빈칸에 알맞은 낱말을 써 보세요.

1. 상대방의 말은 [경][청]해야 한다.
   남의 말을 주의하여 들음.
2. 상대방의 말을 듣는 자세는 [공][손]해야 한다.
   예의가 바르고 겸손함.
3. 상대방을 [비][방]하는 말은 하지 않아야 한다.
   남을 헐뜯어서 말함.
4. 자신보다 나이가 많은 사람에게 말을 할 때에는 [높][임][법]을 사용해야 한다.
   높임말을 사용하는 방법이나 규칙
5. 상대방의 의견이 자신의 의견과 다르다고 하여 도중에 이야기를 끊고 [반][박]하는 것은 좋지 않다.
   남의 의견의 틀린 데를 가리키고 공격함.
6. 상대방의 말을 들을 때에는 고개를 끄덕이거나 표정의 변화를 주는 등 적절하게 [반][응]하며 듣는 것이 좋다.
   어떤 자극에 대해 생기는 동작이나 태도

2 대화 예절 2

대화를 할 때에 예절을 지키듯이, 온라인상에서 대화를 나눌 때에도 예절을 지켜야 해요.

다음은 온라인 대화를 할 때 지켜야 할 예절이에요. 빈칸에 알맞은 낱말을 써 보세요.

1. [주][제]에 맞는 대화를 한다.
   대화나 연구에서 중심이 되는 문제
2. [사][실]과 다른 내용을 올리지 않는다.
   실제로 있었던 일이나 현재에 있는 일
   도움말▲ 댓글에 사실과 다른 내용이나 상대방을 비방하는 내용을 다는 것은 옳지 못한 행동이므로 각별히 주의해야 해요.
3. 상대의 [정][보]를 다른 곳에서 이야기하지 않는다.
   관찰을 통해 얻은 자료를 정리한 지식
4. 상대방이 알아볼 수 있는 적절한 [대][화][명]을 사용한다.
   온라인상에서 사용하는 개인의 이름
5. 다른 사람이 인터넷에 올린 정보를 인용할 때에는 [출][처]를 밝힌다.
   사물이나 말 따위가 처음 생겨난 곳
6. 대화방을 나갈 때에는 대화가 모두 [마][무][리]되었는지를 확인한다.
   어떤 일이나 행동을 잘 끝내는 것

3 부르는 말 서방

옛날에는 신분이 높은 사람이 나이 많은 아랫사람을 부를 때, 이름 대신에 성 뒤에 '서방'이라는 말을 붙여 불렀어요. 나이 많은 사람에 대한 존대의 의미를 담은 것이지요.

다음 설명에 알맞은 낱말을 [보기]에서 찾아 써 보세요.

보기: 대감 도령 상감 생원 서방 영감

1. (옛날에) 나이 많은 선비를 대접하며 이르는 말 ⇨ 생원
2. (옛날에) 높은 장관급 벼슬을 하는 사람을 이르는 말 ⇨ 대감
   도움말▲ '감(監)'은 보통 '상감, 대감, 영감'과 같이 '벼슬아치나 높은 지위를 가진 사람'을 가리킬 때 쓰였어요.
3. (옛날에) 양반 집안의 결혼하지 않은 남자를 이르는 말 ⇨ 도령
4. (옛날에) 차관급의 높은 벼슬을 하는 사람을 이르는 말 ⇨ 영감
5. (옛날에) 임금을 높여 이르는 말. 주로 '마마'를 덧붙여 씀. ⇨ 상감
6. (옛날에) 윗사람이 나이 많은 아랫사람을 대우하여 부르는 말 ⇨ 서방

더 알아 두기: 오늘날 '영감'은 주로 늙은 남자를 이르는 말로, '서방'은 사위나 여동생의 남편을 부르는 말로 사용되고 있어요.

4 주제별 어휘 온라인 대화

온라인 대화방에서 볼 수 있는 말들이 있어요. 일상에서도 주로 사용하는 말들이니만큼 그 명확한 뜻을 파악해 두는 것이 좋아요.

주어진 낱말에 알맞은 뜻을 찾아 연결하세요.

1. 공유 – 여럿이 어떤 물건이나 내용을 함께 소유하는 것
2. 입장 – 어떤 장소나 모임이 있는 곳에 들어가는 것
3. 전송 – 전류나 전파 등을 이용하여 먼 곳에 보내는 것
4. 퇴장 – 어떤 행사나 모임 장소에서 나가는 것
5. 그림말 – 컴퓨터나 휴대 전화의 문자와 기호, 숫자 따위로 만든 그림 문자
6. 동영상 – 전화기, 컴퓨터 등의 장치로 보는 움직이는 영상

도움말▲ 온라인 대화에서 '공유'는 문자나 영상 등을 다른 사람에게 전달한다는 의미로 사용돼요.

도움말▲ '이모티콘'을 우리말로 순화해서 '그림말'이라고 해요.

5 뜻을 더하는 말 1 불(不)–

'불(不)–'은 낱말의 앞에 덧붙어 '아님.' 또는 '어긋남.'을 뜻하는 말을 만들어요.

편하다 ⟷ 불- + 편하다　　가능하다 ⟷ 불- + 가능하다

도움말▲ '불(不)–'은 뒤에 오는 자음이 'ㄷ, ㅈ'일 때는 '부(不)–'로 써요.

자연스러운 문장이 되도록 '불–'을 덧붙인 낱말을 빈칸에 써 보세요.

1. 이 제품은 완전하다.
   ⇨ 이 제품은 잘 작동하지 않아 [불][완][전]하다.
2. 그는 시험에 합격했다.
   ⇨ 그는 시험을 치르지 않아 [불][합][격]했다.
3. 이 경기는 공평하다.
   ⇨ 이 경기는 양 선수의 몸무게가 달라서 [불][공][평]하다.
4. 그가 울고 있는 것이 분명하다.
   ⇨ 그가 울고 있는 것인지 웃고 있는 것인지 [불][분][명]하다.
5. 한 시간 안에 도착하는 것은 가능하다.
   ⇨ 차가 밀려서 한 시간 안에 도착하는 것은 [불][가][능]하다.

6 뜻을 더하는 말 2 –당하다

'–당하다'는 낱말의 뒤에 붙어 '원치 않는 일이나 피해를 입음.'의 뜻을 갖도록 만드는 말이에요. 의미가 맞는 특정한 낱말에만 붙을 수 있다는 점을 기억해야 해요.

배신당하다(○) '–당하다'가 붙을 수 있음.　　**친절**당하다(×) '–당하다'가 붙을 수 없음.

도움말▲ '–당하다'는 말은 그 의미상 부정적 의미를 지닌 낱말과 어울려 쓰이는 경우가 많아요.

빈칸에 알맞은 낱말을 [보기]에서 찾아 써 보세요.

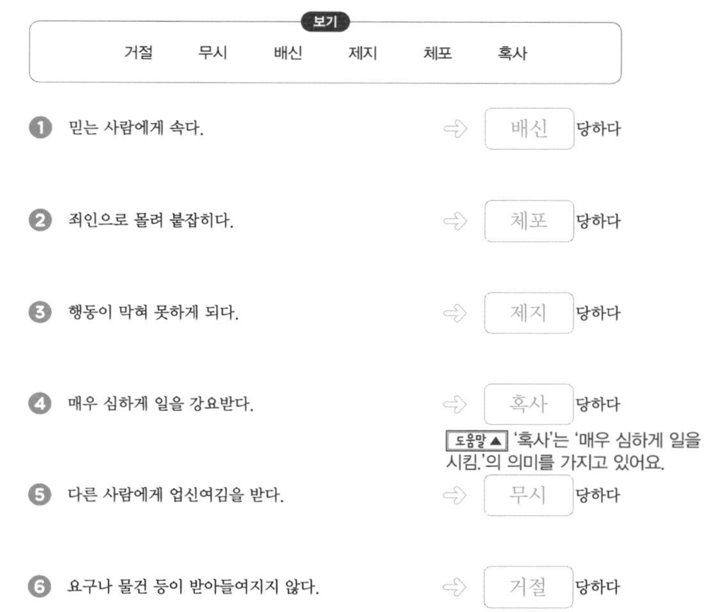

보기: 거절　무시　배신　제지　체포　혹사

1. 믿는 사람에게 속다. ⇨ [배신]당하다
2. 죄인으로 몰려 붙잡히다. ⇨ [체포]당하다
3. 행동이 막혀 못하게 되다. ⇨ [제지]당하다
4. 매우 심하게 일을 강요받다. ⇨ [혹사]당하다
   도움말▲ '혹사'는 '매우 심하게 일을 시킴.'의 의미를 가지고 있어요.
5. 다른 사람에게 업신여김을 받다. ⇨ [무시]당하다
6. 요구나 물건 등이 받아들여지지 않다. ⇨ [거절]당하다

7 무게를 나타내는 말 근

'근'은 고기나 채소 등의 먹을 것의 무게를 재는 말이에요. 고기 한 근은 600그램이고, 채소나 과일의 한 근은 375그램이에요.

[보기]에는 무게의 단위를 나타내는 낱말 카드가 있어요. 아래 밑줄 친 부분에 쓰일 수 있는 카드를 모두 찾아 써 보세요.

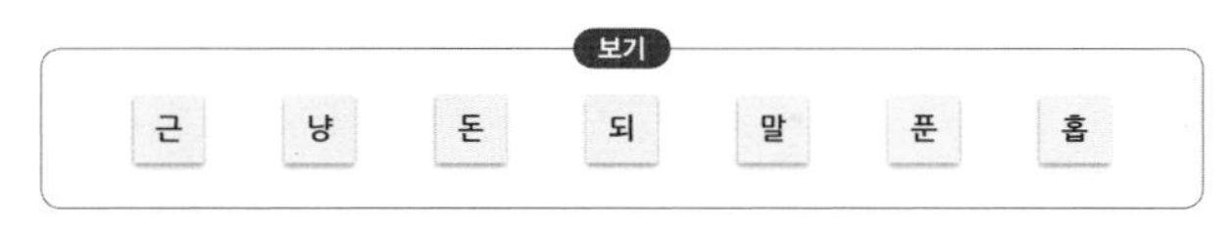

보기: 근　냥　돈　되　말　푼　홉

1. 포도 한 ______ / 소고기 한 ______ ⇨ [고기 · 채소의 무게를 나타낼 때]
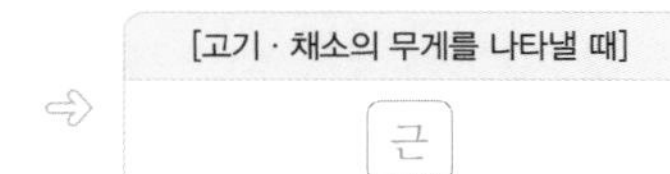
   [근]
2. 금 한 ______ / 약초 한 ______ ⇨ [귀금속 · 한약재의 무게를 나타낼 때]
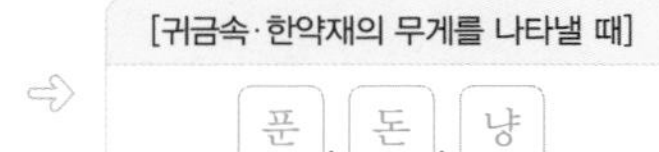
   [푼], [돈], [냥]
   도움말▲ 한 푼은 한 돈의 10분의 1, 한 돈은 한 냥의 10분의 1에 해당돼요. 푼<돈<냥
3. 쌀 한 ______ / 수수 한 ______ / 보리 한 ______ ⇨ [곡식의 부피를 나타낼 때]
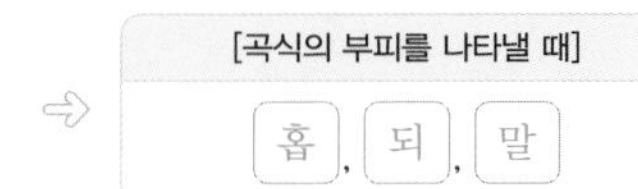
   [홉], [되], [말]
   도움말▲ 한 홉은 한 되의 10분의 1, 한 되는 한 말의 10분의 1에 해당돼요. 홉<되<말

8 속담 말이 씨가 된다.

'말'은 잘 하면 매우 이롭지만, 잘못하면 독이 될 수도 있어요. 우리 속담에는 이러한 말의 중요성을 나타내는 속담들이 많이 있어요.

다음 문장을 속담으로 만들려고 해요. 빈칸에 알맞은 낱말을 써 보세요.

1. 늘 하던 말이 사실이 될 수도 있다.
   ⇨ 말이 [씨]가 된다.
2. 말 속에 겉으로 드러나지 않은 숨은 뜻이 있다.
   ⇨ 말 속에 뜻이 있고 [뼈]가 있다.
3. 말은 누구에게나 점잖고 부드럽게 해야 한다.
   ⇨ [가][는] 말이 고와야 오는 말이 곱다.
4. 듣는 사람이 없는 것처럼 보여도 말조심해야 한다.
   ⇨ 낮말은 [새]가 듣고 밤말은 [쥐]가 듣는다.
   도움말▲ '낮말은 새가 듣고 밤말은 쥐가 듣는다.'와 비슷한 뜻을 가진 그 밖의 속담으로는 '발 없는 말이 천 리 간다.'가 있어요.
5. 말만 잘하면 어려운 일이나 불가능해 보이는 일도 해결할 수 있다.
   ⇨ 말 [한][마][디]에 천 냥 빚을 갚는다.

9 줄여 쓰는 말 암튼

'아무튼'의 준말인 '암튼'은 주로 대화를 할 때 사용해요. 준말을 쓰더라도 그 본말을 함께 알아 둘 필요가 있어요.

아무튼, 안녕히 계세요. → 암튼, 안녕히 계세요.

도움말▲ '준말'은 낱말의 일부가 줄어든 말로, '약어'라고도 해요. 준말 역시 표준어라고 할 수 있어요. 하지만 아무 말이나 줄인다고 해서 준말이 되는 것은 아니에요.

다음 문장의 밑줄 친 낱말의 본말을 써 보세요.

1. 암튼, 불행 중 다행이군. ⇨ 아 무 튼
   의견이나 일의 성질, 형편, 상태 따위가 어떻게 되어 있든
2. 엊그제 우리 집에 삼촌이 다녀가셨어. ⇨ 엊 그 저 께
   바로 며칠 전에
3. 요즘 줄임 말을 사용하는 사람들이 많다. ⇨ 요 즈 음
   바로 얼마 전부터 이제까지의 무렵
4. 첨에는 우리가 이렇게 친해질 줄은 몰랐어. ⇨ 처 음
   시간적으로나 순서상으로 맨 앞
5. 이웃집 아이가 밤새 우는 통에 잠을 못 잤어. ⇨ 밤 사 이
   밤이 지나는 동안
6. 음식을 가리지 않고 골고루 먹어야 건강해진다. ⇨ 고 루 고 루
   두루두루 빼놓지 아니하고

도움말▲ '고루고루'는 그냥 '고루'라고도 써요.

10 십자말풀이

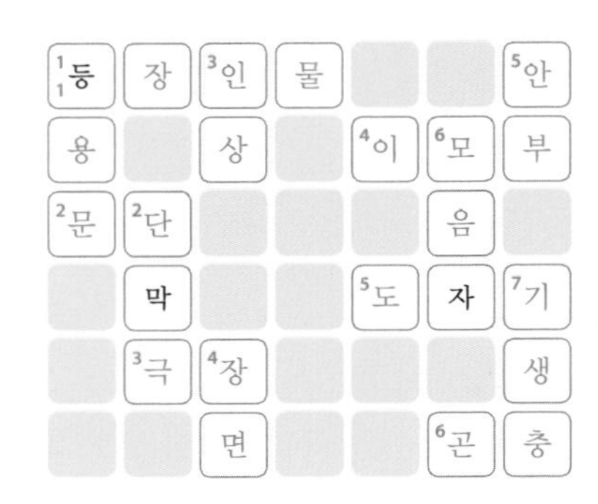

가로 열쇠
1. 연극, 영화, 소설 따위에 나오는 인물
2. 긴 글을 내용에 따라 나눌 때, 하나하나의 짧은 이야기 토막. 단락
3. 공연을 하거나 영화를 상영하기 위해 설치한 건물이나 시설
4. 이모의 남편
5. 흙으로 빚어 높은 열에 구워서 만든 그릇
6. 머리, 가슴, 배의 세 부분으로 되어 있으며 몸에 마디가 많은 작은 동물

세로 열쇠
1. 출세하기 위해 거쳐야 하는 어려운 과정
2. 하나의 막으로 이루어진 짧은 연극
3. 얼굴의 생김새
4. 이야기의 한 광경을 나타내는 부분
5. 편안함에 대한 소식이나 인사
6. 모음을 나타내는 글자
7. 다른 동물에 붙어 양분을 빨아 먹고 사는 벌레

9일 월 일

11 타교과 어휘 도덕

빈칸에 알맞은 낱말을 [보기]에서 찾아 써 보세요.

보기: 공정 두레 애국 조화 협동 한마음

1. 반 친구들이 [협동]하여 교실을 깨끗하게 청소했다.
   서로 마음과 힘을 하나로 합함.
2. 우리는 학급에서 해야 할 역할을 [공정]하게 나누었다.
   공평하고 올바름.
3. 우리는 [한마음]으로 우리나라 축구 대표 팀을 응원하였다.
   하나로 합친 마음
4. 국산품을 이용하는 것은 [애국]의 한 방법이라 할 수 있다.
   자기 나라를 사랑하는 것
5. 서로 잘 [조화]하려면 서로 양보하고 이해하려고 노력해야 한다.
   서로 잘 어울림.
6. 마을 사람들끼리 [두레]를 짜서 농사일을 함께 하니 힘이 덜 들었다.
   농촌에서 농사일을 함께 하려고 만든 마을 단위의 조직

도움말▲ '두레'가 마을 공동체의 큰 형태라면, '품앗이'는 가까운 이웃 간에 소규모로 이루어지는 형태를 말해요.

빈칸에 알맞은 낱말을 써서 문장을 완성해 보세요.

1. 친구는 나의 질문에 [성 의] 있게 대답해 주었다.
   정성스러운 뜻
2. 나는 친구와 화해할 방법을 부모님과 [의 논]하였다.
   어떤 일에 대하여 서로 의견을 주고받음.
3. 이번 독후감 대회에 많은 학생들이 [참 여]하였다.
   어떤 일에 끼어들어 관계함.
4. 우리는 모두 단군의 피를 이어받은 한 [겨 레]이다.
   같은 핏줄을 이어받은 민족
5. 어려운 상황에 놓인 이웃을 돕는 것은 사람의 [도 리]이다.
   사람이 마땅히 행해야 할 바른길
6. 친구들은 내가 발표를 떨지 않고 할 수 있도록 [격 려]해 주었다.
   용기나 의욕이 솟아나도록 북돋워 줌.

4장 이야기 속 세상

국어 교과서 110~151쪽

1 주제별 어휘 옷

'한복'은 우리나라 고유의 옷으로 주로 조선 시대에 입던 옷의 형태예요. 요즈음은 보통 명절이나 집안의 행사 등에 주로 입어요.

다음 뜻에 알맞은 낱말을 [보기]에서 찾아 써 보세요.

보기: 모시 소매 마름질 옷자락 저고리

1. 한복의 윗옷 ⇨ 저고리
2. 윗옷의 양팔을 감싸는 부분 ⇨ 소매
3. 옷의 아래로 내려져 늘어진 부분 ⇨ 옷자락
4. 모시풀 껍질로 실을 짜서 만든 빳빳한 천 ⇨ 모시
   도움말▲ '모시'는 우리 전통 옷감으로 빳빳하고 질기며 통풍도 잘되는 특징이 있어요.
5. 옷을 만들기 위해 옷감을 재거나 자르는 일 ⇨ 마름질

2 잘못 쓰기 쉬운 말 찌개

우리가 자주 먹는 음식인 '찌개'를 '찌게'로 잘못 쓰는 경우가 많이 있어요. 이처럼 잘못 쓰기 쉬운, 다른 음식의 이름들도 정확하게 익혀 두도록 해요.

찌개 — 찌게(×)
삼계탕 — 삼개탕(×)

다음 문장에서 밑줄 친 낱말을 알맞게 고쳐 써 보세요.

1. 동생은 밥에 들어간 강남콩을 골라내었다. ⇨ 강낭콩
   도움말▲ '강낭콩'은 원래 '강남콩(江南-)'에서 온 말이지만, '강낭콩'으로 오랫동안 굳어져 쓰였으므로 이를 표준어로 삼았어요.
2. 여름에는 보양식으로 삼개탕을 많이 먹는다. ⇨ 삼계탕
   (어린 닭의 내장을 빼내고 인삼·찹쌀·대추 등을 넣어 삶은 음식)
3. 육계장이 너무 매워서 찬물을 계속 들이켰다. ⇨ 육개장
   (쇠고기를 잘게 뜯어 넣고 갖은 양념으로 얼큰하게 만든 음식)
4. 할머니께서 달짝지근한 식해를 만들어 주셨다. ⇨ 식혜
   (우리나라 전통 음료의 하나)
   도움말▲ '식혜'는 '감주' 또는 '단술'이라고도 해요.
5. 나는 엄마의 요리 중에 김치찌게가 제일 맛있다. ⇨ 김치찌개
6. 어머니는 흐트러진 이불을 개어 장농 속에 넣었다. ⇨ 장롱
   (옷, 이불 등을 넣어 두는 한국식 가구)

3 뜻을 더하는 말 –투성이

'–투성이'는 다른 낱말의 뒤에 붙어서 '그것이 너무 많은 상태'임을 나타내는 말로, 혼자서는 쓰일 수 없어요.

창고가 온통 먼지**투성이**다. (너무 많은 상태)

주어진 뜻을 참고하여 빈칸에 알맞은 낱말을 써 보세요.

–투성이	'그것이 너무 많은 상태'의 뜻을 더하는 말

1. 그는 구겨져 [주름투성이]가 된 옷을 입고 있다. (온통 주름이 진 상태)
2. 축구를 하다가 넘어져서 다리가 온통 [상처투성이]가 되었다. (온통 상처가 난 상태)

–치레	'치러 내는 일'의 뜻을 더하는 말
	'겉으로만 꾸미는 일'의 뜻을 더하는 말

3. 마지못해 [인사치레]로 방문했다. (성의 없이 겉으로만 하는 인사)
4. [겉치레]만 번지르르하지 실속이 없다. (겉만 보기 좋게 꾸며 드러냄.)
5. 명절마다 엄마는 친척 [손님치레]로 바쁘시다. (손님을 대접하여 치르는 일)
   도움말▲ '치러 내는 일'의 뜻이 덧붙은 말로는 그 밖에 '병치레' 등이 있어요.

4 바꿔 쓸 수 있는 말 1 고꾸라지다

'고꾸라지다'는 '앞으로 고부라져 쓰러지다.'라는 뜻으로 '넘어지다'와 비슷한 의미를 갖고 있어요. 두 낱말은 상황에 따라 서로 바꿔 쓸 수 있어요.

발에 걸려 [고꾸라질 / 넘어질] 뻔했다. (바꿔 쓸 수 있음.)

밑줄 친 낱말과 바꿔 쓸 수 있는 낱말을 [보기]에서 찾아 써 보세요.

보기: 궁상맞다 메스껍다 쉬쉬하다 지루하다 고꾸라지다 받아넘기다

1. 아이가 빙판에 미끄러져 넘어지다. ⇨ 고꾸라지다
2. 주말인데 딱히 할 일이 없어서 무료하다. ⇨ 지루하다
   (흥미 있는 일이 없어 심심하다.)
3. 엄마에게 혼이 날까 두려워서 사실을 숨기다. ⇨ 쉬쉬하다
4. 피곤해서 동생이 놀자는 말에 성의 없이 대꾸하다. ⇨ 받아넘기다
   (남의 말을 듣고 반응하여 말을 하다)
5. 오랜 기간 계속된 여행으로 그는 옷차림이 초라하다. ⇨ 궁상맞다
   (겉모양이나 옷차림이 허술하고 보잘것없다.)
6. 여행 내내 기름진 음식만 먹었더니 속이 느글거린다. ⇨ 메스껍다
   (먹은 것이 내려가지 않고 넘어올 듯 속이 느끼하다.)
   도움말▲ '느글거리다'와 '니글거리다' 모두 올바른 표현이에요.

5 바꿔 쓸 수 있는 말 2 달인

'달인'은 '어떠한 분야에서 남달리 뛰어난 재능을 가진 사람'을 이르는 말이에요. '달인'은 이와 비슷한 뜻을 가진 '고수'와 서로 바꿔 쓸 수 있어요.

그는 퀴즈의 [달인 / 고수]이다.
바꿔 쓸 수 있음.

✎ 밑줄 친 낱말과 바꿔 쓸 수 있는 낱말을 써 보세요.

1. 영수와 나는 둘도 없는 친구이다. (가깝게 오래 사귄 사람) ⇨ 동무
2. 우리 할아버지는 바둑의 달인이시다. (어떠한 분야에서 남달리 뛰어난 재능을 가진 사람) ⇨ 고수

도움말▲ '기술이나 능력이 뛰어난 사람'을 이르는 '고수'는 본래 바둑이나 장기 따위를 잘 두는 사람이라는 의미에서 생겨났어요.

3. 나는 바다가 보이는 마을에서 태어났다. (시골의 여러 집이 모여 사는 곳) ⇨ 고을
4. 우리 동네에는 작은 가게들이 많이 있다. (물건을 파는 집) ⇨ 상점
5. 선거는 국민의 심판을 기다리는 절차이다. (어떤 일이나 문제에 대해 잘잘못을 가려 결정하는 일) ⇨ 판결
6. 할머니는 텃밭에 상추, 오이 등의 채소를 기르신다. (밭에서 기르는 농작물) ⇨ 야채

6 바꿔 쓸 수 있는 말 3 얼큰하다

'매워서 입안이 얼얼하다.'라는 뜻을 가진 '얼큰하다'는 비슷한 뜻을 가진 '매콤하다', '맵다' 따위의 말들과 바꿔 쓸 수 있어요. 이처럼 우리말은 비슷한 뜻을 가진 말들을 통해 다양하게 표현할 수 있어요.

국물이 [얼큰하다 / 매콤하다 / 맵다].
바꿔 쓸 수 있음.

도움말▲ 우리말은 같은 상황을 나타내더라도 다른 나라 말에 비해 그 표현이 매우 다양해요. 다양한 표현들을 많이 배워 두는 것이 좋아요.

✎ 밑줄 친 낱말과 바꿔 쓸 수 있는 낱말을 써 보세요.

1. 텃밭에 배추와 상추를 키우다. (식물 등을 손질하고 살피다.) ⇨ 가꾸다 / 보살피다
2. 고추를 넣어 순두부찌개가 맵다. ⇨ 매콤하다 / 얼큰하다

3. 우리나라의 여름 날씨는 뜨겁다. ⇨ 무덥다 / 후덥지근하다

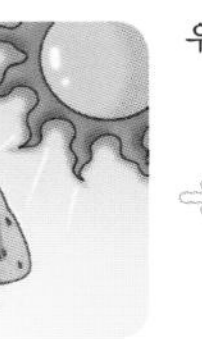
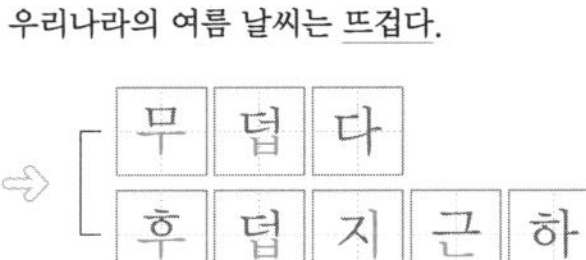

7 꾸며 주는 말 금세

'금세'는 '지금 바로'라는 뜻을 가진 낱말로 다른 말을 꾸며서 의미를 강조하거나 덧붙이는 역할을 해요.

소문이 금세 퍼졌다.
꾸며 줌.

✎ 빈칸에 알맞은 낱말을 [보기]에서 찾아 써 보세요.

보기: 금세 여태 진탕 흠씬 흡사 하마터면

1. 친구들과 (진탕) 놀다 보니 캄캄한 밤이 되었다. (싫증이 날 만큼 아주 많이)

도움말▼ '흠씬'은 그 밖에 물에 푹 젖은 모양, 매를 심하게 맞는 모양 등을 나타낼 때에도 쓰여요.

2. 수목원에 와서 맑은 공기를 (흠씬) 들이마셨다. (꽉 차고 남을 만큼 넉넉하게)
3. 아빠가 그렇게 질투하시는 걸 (여태) 본 적이 없다. (지금까지)
4. 화재로 큰 피해를 입은 곳은 (흡사) 전쟁터 같았다. (거의 같을 정도로 비슷한 모양)
5. 늦잠을 자는 바람에 (하마터면) 학교에 지각할 뻔했다. (조금만 잘못하였더라면)
6. 동생은 배가 고팠던지 그 많은 빵을 (금세) 먹어 치웠다. (지금 바로)

도움말▲ '금세'는 '금시에'가 줄어든 말이므로, '금새(×)'로 잘못 쓰지 않도록 주의해야 해요.

8 헷갈리기 쉬운 말 바라다/바래다

'바라다'는 '어떤 일이 이루어지기를 기대하다.'라는 뜻이고, '바래다'는 '색이 희미해지거나 누렇게 변하다.'라는 뜻이에요. 두 말은 헷갈리기 쉬우므로 쓰임을 잘 알아 두도록 해요.

나의 성공을 바라다. (바래다(×))
벽지의 색이 바래다. (바라다(×))

✎ 주어진 뜻을 참고하여 문장에 어울리는 낱말을 찾아 ○표 하세요.

매다	끈이나 줄의 두 끝을 서로 묶다.
메다	어떤 감정이 북받쳐 목소리가 잘 나지 않다.

1. 나는 너무 슬퍼서 목이 (매었다 / 메었다). — 메었다 ○

도움말▲ 보통 '메다'는 '목이 메다'라는 표현으로 묶여서 쓰여요.

2. 운동화의 끈을 단단하게 (매었다 / 메었다). — 매었다 ○
3. 한복을 입고 옷고름을 예쁘게 (매었다 / 메었다). — 매었다 ○

바라다	어떤 일이 이루어지기를 기대하다.
바래다	색이 희미해지거나 누렇게 변하다.

4. 오래된 종이가 누렇게 (바랐다 / 바랬다). — 바랬다 ○
5. 건강하게 오래오래 사시기를 (바라요 / 바래요). — 바라요 ○

도움말▲ '바라다'가 기본형이므로, '~ 하기를 바라요.'와 같이 써야 해요.

6. 나는 시험에 합격하기를 간절히 (바랐다 / 바랬다). — 바랐다 ○
7. 오래 입은 티셔츠가 흐릿하게 색이 (바랐다 / 바랬다). — 바랬다 ○

9 단위를 나타내는 말 결레, 벌

'켤레'와 '벌'은 물건을 세는 단위로 쓰여요. '켤레'는 신발, 양말 등 짝이 되는 두 개를 하나로 세는 단위이며, '벌'은 옷이나 그릇 등이 두 개 이상 모여 갖추어진 덩이를 세는 단위예요.

신발 한 **켤레** 좌우 한 쌍

옷 한 **벌** 위아래 한 세트

다음 설명에 알맞은 물건을 세는 단위를 [보기]에서 찾아 써 보세요.

보기: 단 첩 손 사리

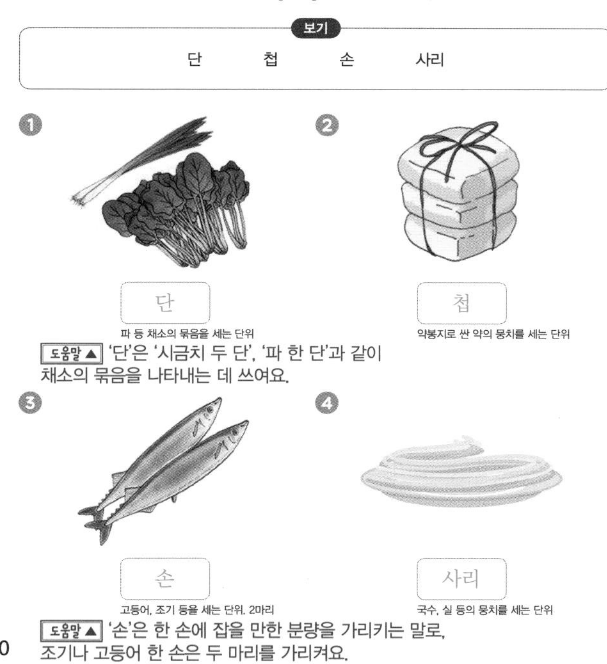

❶ 단
파 등 채소의 묶음을 세는 단위

도움말▲ '단'은 '시금치 두 단', '파 한 단'과 같이 채소의 묶음을 나타내는 데 쓰여요.

❷ 첩
약봉지로 싼 약의 뭉치를 세는 단위

❸ 손
고등어, 조기 등을 세는 단위. 2마리

도움말▲ '손'은 한 손에 잡을 만한 분량을 가리키는 말로, 조기나 고등어 한 손은 두 마리를 가리켜요.

❹ 사리
국수, 실 등의 뭉치를 세는 단위

10 성격을 나타내는 말 경솔하다

말이나 행동이 조심성 없이 가벼울 때, '경솔하다'라고 말해요. 이와 같은 낱말들은 사람의 성격을 나타내는 말로 쓰여요.

형은 덩치는 크지만 **소심하다.** 대담하지 못하고 조심성이 지나치게 많다.

밑줄 친 말과 바꿔 쓸 수 있는 낱말을 [보기]에서 찾아 써 보세요.

보기: 의롭다 경솔하다 꼼꼼하다 미련하다 정직하다

❶ 언니는 모든 일에 빈틈이 없이 차분하고 조심스럽다. ⇨ 꼼꼼하다

❷ 음식을 억지로 먹는 걸 보니 그는 어리석고 둔하다. ⇨ 미련하다

도움말▲ '어리석고 둔하다.'는 뜻의 낱말은 '미련하다' 외에도 '우둔하다'가 있어요.

❸ 어려운 사람을 돕는 민철이는 도덕적으로 바르고 옳다. ⇨ 의롭다

❹ 자신의 잘못을 고백하는 혁수는 마음에 거짓이 없이 바르고 곧다. ⇨ 정직하다

도움말▲ '의롭고 정직하다'라는 뜻을 모두 포함하여 '정의롭다'라고 써요.

❺ 사소한 실수를 자주 하는 그는 말이나 행동이 조심성 없이 가볍다. ⇨ 경솔하다

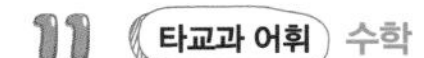

11 타교과 어휘 수학

그림을 참고하여 낱말에 알맞은 뜻을 찾아 연결하세요.

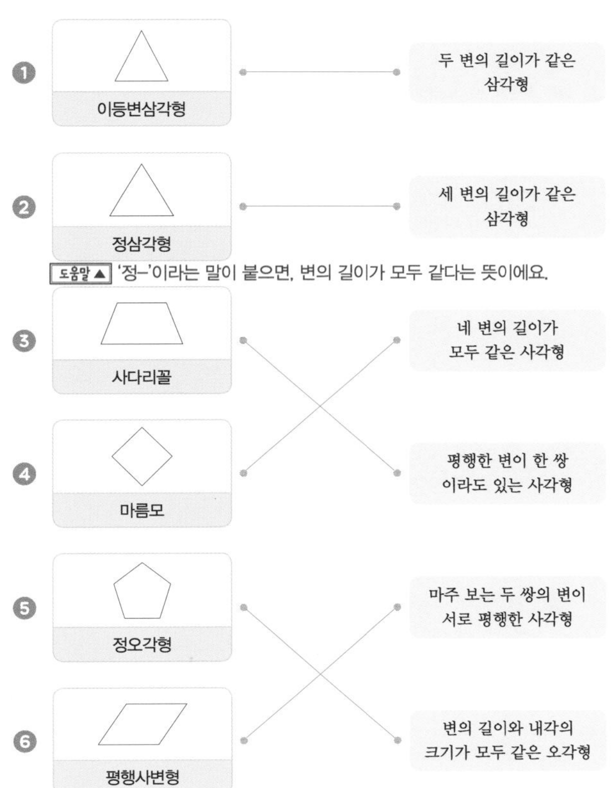

❶ 이등변삼각형 — 두 변의 길이가 같은 삼각형

❷ 정삼각형 — 세 변의 길이가 같은 삼각형

도움말▲ '정-'이라는 말이 붙으면, 변의 길이가 모두 같다는 뜻이에요.

❸ 사다리꼴 — 평행한 변이 한 쌍이라도 있는 사각형

❹ 마름모 — 네 변의 길이가 모두 같은 사각형

❺ 정오각형 — 변의 길이와 내각의 크기가 모두 같은 오각형

❻ 평행사변형 — 마주 보는 두 쌍의 변이 서로 평행한 사각형

빈칸에 알맞은 낱말을 [보기]에서 찾아 써 보세요.

보기: 수직 평행 그래프 다각형 대각선 수직선

❶ 바닥과 건물의 기둥은 서로 [수직]이다.
두 직선이 만나서 이루는 각이 직각을 이루는 두 직선

❷ [수직선]에서는 오른쪽으로 갈수록 수가 커진다.
일정한 간격으로 눈금을 표시하여 수를 대응시킨 직선

❸ 청룡 열차를 만들 때 두 철로는 [평행]으로 만들었다.
서로 만나지 않는 두 직선

❹ 사각형에 [대각선]을 1개 그으면 삼각형 2개가 만들어진다.
서로 이웃하지 않는 두 꼭짓점을 이은 선분

❺ [다각형]은 선분의 수에 따라 삼각형, 사각형, 오각형 등으로 나뉜다.
선분으로만 둘러싸인 도형

❻ [그래프]를 통해 강수량이 시간에 따라 어떻게 변했는지 살펴보았다.
자료를 분석하여 그 변화를 한눈에 볼 수 있도록 나타내는 직선이나 곡선

도움말▲ '그래프'의 종류에는 '막대그래프', '원그래프', '띠그래프', '꺾은선 그래프' 등이 있어요.

5장 의견이 드러나게 글을 써요

국어 교과서 160~183쪽

1 문장의 짜임

문장의 짜임을 알면 문장을 이해하는 데 도움이 돼요. 문장의 기본 짜임인 '누가/무엇이+어찌하다'에서 '어찌하다'는 움직임을 나타내고 '누가/무엇이+어떠하다'에서 '어떠하다'는 성질이나 상태를 나타내요.

누가/무엇이 + 무엇이다/어찌하다/어떠하다
(누가/무엇이: 주어 부분, 무엇이다/어찌하다/어떠하다: 서술어 부분)

도움말▲ 한 문장에서 동작이나 상태, 성질의 주체가 되는 말을 '주어'라고 해요. 그리고 동작이나 상태, 성질을 나타내는 말을 '서술어'라고 해요.

[보기]와 같이 문장을 두 개의 기본 짜임으로 나누어 보세요.

보기
무엇이 + 어떠하다 → 원숭이의 엉덩이가 / 빨갛다.

1. 무엇이 + 무엇이다 ⇨ 저 과일은/노란 바나나이다.
2. 무엇이 + 어떠하다 ⇨ 노란 바나나는/길이가 매우 길다.
3. 무엇이 + 무엇이다 ⇨ 길이가 긴 것은/철도를 달리는 기차이다.
4. 무엇이 + 어떠하다 ⇨ 철도를 달리는 기차는/속도가 엄청 빠르다.
5. 무엇이 + 어찌하다 ⇨ 속도가 엄청 빠른 비행기가/푸른 하늘을 난다.

2 뜻이 반대인 말 칭찬/질책

'칭찬'은 '좋은 점이나 착한 점 따위를 높이 평가함.'의 뜻이고, '질책'은 '잘못을 엄하게 나무람.'의 뜻이에요. 따라서 '칭찬'과 '질책'은 서로 반대말이에요.

선생님께 **칭찬**을 받았다. / 선생님께 **질책**을 받았다.

밑줄 친 말과 뜻이 반대인 낱말을 써 보세요.

1. 그는 나이에 비해 성숙해 보인다. (성숙: 몸과 마음이 자라서 어른스럽게 됨.) ⇨ 미숙
   도움말▲ '미숙'은 '일 따위가 서투름.'을 뜻하는 말이에요.
2. 물건을 너무 싸게 팔아서 손해를 보았다. (손해: 돈, 재산 등을 잃거나 정신적으로 해를 입음.) ⇨ 이익
3. 온 동네가 철수에 대한 칭찬으로 떠들썩했다. (칭찬: 좋은 점이나 착한 점 따위를 높이 평가함.) ⇨ 질책
   도움말▲ '질책'은 '꾸짖어 나무람.'을 뜻하는 말이에요.
4. 나는 사람의 겉모습보다 내면을 중요하게 생각한다. (내면: 밖으로 드러나지 않는 속의 모습) ⇨ 외면
   도움말▲ '내(內)'는 '안이나 속', '외(外)'는 '겉이나 밖'의 뜻을 가지고 있어요.
5. 선주는 평범한 이야기도 재미있게 만드는 재주가 있다. (평범: 뛰어나거나 색다른 점이 없이 보통임.) ⇨ 특별
6. 우리 반은 화합이 잘되어 학교 체육 대회에서 우승했다. (화합: 사이좋게 어울림.) ⇨ 갈등

3 뜻이 여러 가지인 말 팔다

'팔다'는 '돈을 받고 물건을 넘기다.'라는 뜻 외에도 '주의를 다른 데로 돌리다.'라는 뜻을 가지고 있어요.

점원이 가게에서 물건을 **팔다**. (돈을 받고 물건을 넘기다.) / 아이들이 다른 데 정신을 **팔다**. (주의를 다른 데로 돌리다.)

도움말▲ '팔다'는 '돈을 받고 물건을 넘기다.'라는 기본적인 의미에서 '주의를 다른 데로 돌리다.'라는 주변적인 의미가 생겨난 것으로 볼 수 있어요.

밑줄 친 낱말에 알맞은 뜻을 찾아 연결하세요.

1. 친구들끼리 만나 서로 즐겁게 어울리다. — 사귀어 잘 지내다.
2. 새로 산 윗옷과 바지가 서로 어울리다. — 서로 조화를 이루다.
3. 오래된 책을 헌책방에 팔다. — 돈을 받고 물건을 넘기다.
4. 공부에 집중하지 않고 다른 곳에 정신을 팔다. — 주의를 다른 데로 돌리다.
5. 비가 많이 와서 강물이 넘치다. — 가득 차서 밖으로 흘러나오거나 밀려나다.
6. 그의 얼굴에 자신감이 가득 넘치다. — 느낌이나 기운이 정도를 벗어나도록 강하게 일어나다.

4 속담 빈 수레가 요란하다.

속담은 예로부터 전해 오는 말로 소중한 교훈을 담고 있어요. 속담을 사용하면 설명하기 복잡한 상황을 간결하게 표현할 수 있고 말하고자 하는 바를 분명하게 전달할 수 있어요.

다음 속담의 빈칸에 알맞은 낱말을 써 보세요.

1. 가는 날이 [장][날]이다.
   어떤 일을 하는데 우연찮게 일이 겹치는 경우를 비유적으로 이르는 말
   도움말▲ '장날'은 시장이 만들어지는 날을 가리키는 말이에요. 시골 마을에 가면 보통 며칠에 한 번씩 장날을 정해 물건을 팔아요.
2. [빈] [수][레]가 요란하다.
   실속 없는 사람이 더 떠들어 댐을 비유적으로 이르는 말
3. [발] 없는 [말]이 천 리 간다.
   '말이 순식간에 멀리 퍼진다.'는 뜻으로 말을 삼가야 함을 비유적으로 이르는 말
4. [바][늘] 도둑이 [소] 도둑 된다.
   작은 나쁜 짓도 자꾸 하면 큰 죄를 저지르게 됨을 비유적으로 이르는 말
5. [낮]말은 새가 듣고 [밤]말은 쥐가 듣는다.
   아무도 안 듣는 데서라도 말조심해야 함을 비유적으로 이르는 말

5 방언 부치기

'기름에 부쳐서 먹는 빈대떡'의 표준어는 '부침개'예요. 그런데 부침개를 이르는 말은 '부치기', '누리미'처럼 지방에 따라 조금씩 다를 수 있어요. 방언을 사용하면 같은 지역 사람들끼리 서로 가까운 느낌이 들게 하지요.

나는 점심에 **부치기**를 먹었다. (부침개의 방언)

나는 점심에 **누리미**를 먹었다. (부침개의 방언)

도움말▲ 보통 문학 작품 등에서 현장감을 살리기 위해 방언들을 자주 사용하기도 해요.

밑줄 친 방언의 알맞은 표준어를 써 보세요.

1. 나는 콩주름으로 끓인 국을 좋아한다. (제주도 방언. 콩에 물을 주어 뿌리가 자라게 한 먹을거리) ⇨

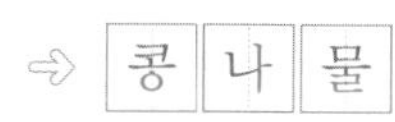

2. 우리 오마니는 젊어서 고생을 많이 하셨지요. (평안도 방언) ⇨ 어 머 니

3. 친구들과 함께 개천에서 올갱이를 잡으며 놀았다. (강원도, 충청도 방언. 맑은 개울에 사는 작은 고동) ⇨ 다 슬 기

4. 우리 할매는 나를 귀여운 똥강아지라고 부르신다. ⇨ 할 머 니

5. 새로 태어난 강생이가 어미를 닮아 털색이 예쁘다. (경상도, 전라도 방언. 개의 새끼) ⇨ 강 아 지

6. 우리 집은 감자를 갈아서 부치기를 자주 해 먹는다. ⇨ 부 침 개

6 주제별 어휘 옛 물건

옛날에는 가정에서 일상적으로 사용했지만 요즘에는 쉽게 보기 어려운 물건들이 있어요. 이러한 옛 물건들에는 조상들의 생활 속 지혜가 담겨 있지요.

그림에 알맞은 낱말을 [보기]에서 찾아 써 보세요.

보기: 키 병풍 광주리 아궁이

1.
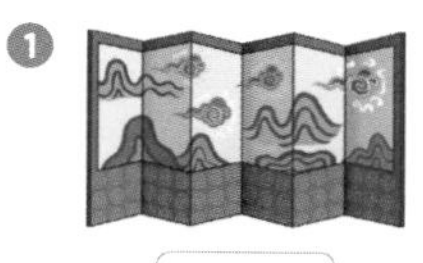
병풍
집 안의 장식을 겸하여 무엇을 가리거나 바람을 막기 위해 세우는 물건

2.

키
곡식에 섞여 있는 이물질이나 겨 등을 날려 버리는 기구

도움말▲ 옛날에는 이부자리에 아이가 오줌을 싸면, 부끄러움을 주어 두 번 다시 실수를 하지 않도록 키를 머리에 뒤집어 씌워 이웃집에 소금을 얻으러 다니도록 했어요.

3.

광주리
대나무, 버들 등으로 둥글게 만든 그릇

4.

아궁이
방을 따뜻하게 하거나 솥에 음식을 끓이기 위해 만든 구멍

7 낱말 퀴즈

문장에 섞여 있는 글자 카드의 순서를 알맞게 하여 써 보세요.

1. 우리나라는 외국인 민 이 자가 점점 늘어나고 있다. (자기 나라를 떠나서 다른 나라로 가서 사는 사람) ⇨

2. 그는 정확한 내용을 자 담 당에게 전화해서 알아보았다. (어떤 일을 맡아서 하는 사람) ⇨

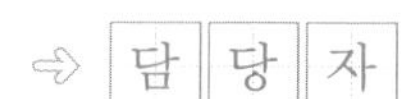

3. 물 념 연 기 천은 우리 모두가 아끼고 보호해야 한다. (매우 중요하여 법으로 정하여 보호하기로 한 자연물) ⇨

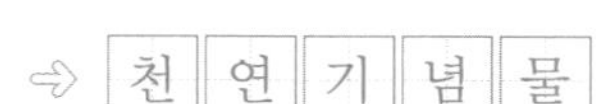

도움말▲ '천연기념물'의 대상은 동물과 식물, 동굴과 화석 같은 광물, 지역 등이 될 수 있어요.

4. 여러 나라 학생이 모이는 학교는 다 화 문를 체험할 수 있다. (한 사회 안에 여러 민족이나 나라의 문화가 섞여 있는 것) ⇨ 다 문 화

5. 진 국 선과 경쟁을 하려면 그들 수준의 기술력을 가져야 한다. (다른 나라보다 정치, 경제, 문화 등의 발달이 앞선 나라) ⇨

도움말▲ 우리나라는 상황에 따라 선진국으로 분류되기도 하지만, 중진국으로 분류되기도 해요.

빈칸에 알맞은 낱말을 써서 문장을 완성해 보세요.

1. 그는 이웃들에게 소 외를 당했다. (어떤 무리에서 멀리하거나 따돌림.)

2. 국민은 누구나 교육을 받을 권 리가 있다. (무엇을 할 수 있는 자격이나 힘)

3. 부모는 자식을 키워야 하는 의 무를 지고 있다. (마땅히 해야 할 일)

도움말▲ '마땅히 누릴 수 있는 자격'이 '권리'라면, '의무'는 자격을 가진 사람이 '마땅히 해야 할 일'을 가리키는 말이에요. 묶어서 이해해 두도록 해요.

4. 감자전은 역시 토 종 감자로 만들어야 제맛이다. (원래부터 그곳에서 나는 종자)

5. 아무리 궁 리를 해도 좋은 방법이 떠오르지 않았다. (마음속으로 이리저리 깊이 생각함.)

6. 가난한 나라 출 신이라고 사람을 무시해서는 안 된다. (출생 당시 가정이 속한 사회적 신분)

8 주제별 어휘 물

강, 호수, 바다, 지하수 등의 형태로 자연에 존재하는 물은 우리의 생활에 많은 이로움을 가져다주어요. 하지만 잘못 관리하면 큰 피해를 발생시키기도 해요.

다음 빈칸에 알맞은 낱말을 써 보세요.

1. 어젯밤 [폭][우]로 강물이 엄청 불어났다.
   갑자기 세차게 쏟아지는 비

2. 작년 여름에는 [홍][수]가 나서 많은 수재민이 발생했다.
   비가 많이 와서 강이 갑자기 크게 붙은 물

3. 이번 집중 [호][우]로 한강 물이 급격하게 불어났다.
   한꺼번에 많이 오는 비
   도움말▲ 일기 예보에서 '호우 주의보'라는 표현이 자주 등장해요. 큰 비로 인해 3시간의 강우량이 60mm 이상이 예상되거나 12시간의 강우량이 110mm 이상이 예상될 경우에 발령돼요.

4. 농사철에 부족한 물은 [둑]에 가두어 놓은 물로 해결할 수 있다.
   강물을 막아 두기 위하여 쌓은 언덕

5. 가뭄으로 물이 크게 부족하자 산동네 사람들은 [물][난][리]를 겪었다.
   많은 물이 넘치거나 물이 모자라서 일어나는 혼란스러운 상황

9 올바른 발음 미적[미쩍]

'어떤 성격을 띠는', '그에 관계된', '그 상태로 된'의 뜻을 더하는 '-적'은 [적]으로 발음되는 경우와 [쩍]으로 발음되는 경우가 있어요.

공적[공쩍]	신체적[신체적]	전국적[전국쩍]
두 글자일 때	세 글자 이상일 때 ('모음, ㄴ, ㅁ, ㅇ' 뒤)	세 글자 이상일 때 ('모음, ㄴ, ㅁ, ㅇ'을 제외한 받침 뒤)

도움말▲ 외우는 것보다는 내용을 이해하고 넘어가는 정도로 학습하면 충분해요.

밑줄 친 낱말의 알맞은 발음을 찾아 ○표 하세요.

1. 가급적이면 빨리 갔으면 좋겠다. (할 수 있는 대로) ⇨ [가:급적] / ([가:급쩍])
2. 신체적 건강만큼 정신적 건강도 중요하다. (정신에 관계되는) ⇨ ([정신적]) / [정신쩍]
3. 그 가게는 이번 화재로 물질적 피해를 입었다. (물질과 관련된) ⇨ [물찔적] / ([물찔쩍])
4. 이모는 미대를 나와서 미적 감각이 뛰어나다. (사물의 아름다움에 관한) ⇨ [미:적] / ([미:쩍])
5. 우리 모두 영수의 의견에 전적으로 동의했다. (남김없이 모두 다) ⇨ [전적] / ([전쩍])
6. 우리 집은 역 앞이라 비교적 교통이 편하다. (다른 것과 견주어서) ⇨ ([비:교적]) / [비:교쩍]

10 타교과 어휘 사회

밑줄 친 낱말에 알맞은 뜻을 찾아 연결하세요.

1. 이 기업의 제품은 가격도 싸고 품질도 뛰어나다. — 물건의 성질과 바탕
2. 모든 농산물에는 반드시 원산지를 표기해야 한다. — 어떤 물건이 생산된 곳
3. 그 작가의 작품은 찾는 사람이 많아 희소성이 높다. — 사람들이 원하는 것에 비해 그것이 매우 드물거나 부족한 상태
4. 우리 가족은 여행을 가면 그 지역의 특산물을 꼭 사온다. — 어떤 지역에서 특별하게 생산되는 물품
5. 최근 건강에 대한 관심이 높아지면서 과일 소비가 크게 늘었다. — 물건이나 시설 등을 이용하거나 써서 없애는 것
6. 대부분의 가정에서는 생산 활동을 통해 얻은 소득으로 살림을 꾸려 나간다. — 일정 기간 동안에 정해진 일을 하고 그 대가로 받는 수입

빈칸에 알맞은 낱말을 써서 문장을 완성해 보세요.

1. 큰 재래시장에 가면 물건을 [도][매]로 판다.
   물건을 낱개로 팔지 않고 한데 묶어서 파는 것
   도움말▲ '도매'는 물건을 묶어서 판다는 의미의 낱말과 물건을 묶어서 산다는 의미의 낱말이 있어요. 한자어의 뜻이 다르므로 구분해서 사용할 수 있어야 해요.

2. 깨지기 쉬운 제품은 [운][반]에 주의를 기울여야 한다.
   물건 등을 옮겨 나름.

3. 우리 회사는 그 회사와 [협][약]하여 기술을 교환하기로 했다.
   단체와 개인 또는 단체와 단체 사이에 약속을 맺음.

4. 이 공장은 새로운 기술을 사용하면서 상품의 [생][산]이 크게 늘었다.
   인간이 생활하는 데 필요한 여러 물건을 만들어 냄.

5. 이 농가에서는 젖소로부터 얻은 우유를 유제품 회사에 [공][급]하고 있다.
   요구나 필요에 따라 물품을 마련해 줌.

6. 이 농산물은 산지에서 [직][거][래]하여 신선하고 가격도 저렴하다.
   물건을 팔 사람과 살 사람이 중간 상인을 거치지 않고 직접 거래함.

6장 본받고 싶은 인물을 찾아봐요

국어 교과서 184~215쪽

1 전기문

'전기문'은 어떤 인물의 생애와 했던 일 따위를 기록한 글이에요. 전기문을 읽고 훌륭한 사람들이 어떻게 살아왔는지를 살펴보며 내가 앞으로 어떻게 살아가야 할지를 생각해 보도록 해요.

빈칸에 알맞은 낱말을 [보기]에서 찾아 써 보세요.

보기

미래　사실　업적　가치관　발자취

1. 전기문을 보면, 그 인물의 [발자취]를 엿볼 수 있다.
   과거에 지나온 과정
2. 자신의 [미래]를 계획할 때 전기문을 읽으면 도움이 된다.
   앞으로 올 때
3. 전기문은 인물의 삶을 [사실]에 바탕을 두고 기록한 글이다.
   실제로 있었던 일이나 현재에 있는 일
4. 전기문을 읽을 때에는 인물의 [가치관]을 살피며 본받을 점을 찾아내야 한다.
   사람이 어떤 것의 가치를 매길 때 가지는 태도나 판단의 기준
   도움말▲ '가치관'은 쉽게 말해 옳은 것과 바람직한 것, 해야 할 것과 하지 말아야 할 것 등에 대해 개인이 가지는 판단 기준을 말해요.
5. 인물을 소개할 때에는 인물이 남긴 [업적] 중에 가장 기억에 남는 것을 소개한다.
   노력과 수고를 들여 이룩해 놓은 결과

2 형태는 같은데 뜻이 다른 말 낫다

'병이나 상처가 고쳐져서 본래대로 되다.'라는 뜻을 가진 말도 '낫다'이지만, '보다 더 좋거나 앞서 있다.'라는 뜻을 가진 말도 '낫다'예요. 이처럼 전혀 다른 뜻을 가진 말들이 형태가 같은 경우가 있어요.

상처가 낫다.
병이나 상처가 고쳐져서 본래대로 되다.

이 물건이 더 낫다.
보다 더 좋거나 앞서 있다.

빈칸에 공통으로 들어갈 낱말을 써 보세요.

1. [맡][다]
   ① 도서관에서 자리를 [　][　].
   자리나 물건 따위를 차지하다.
   ② 시골길에서 흙냄새를 [　][　].
   코로 냄새를 느끼다.

2. [낫][다]
   ① 감기가 씻은 듯이 [　][　].
   병이나 상처가 고쳐져 본래대로 되다.
   ② 둘 중에 이것이 더 [　][　].
   보다 더 좋거나 앞서 있다.

   도움말▲ ①의 뜻을 가진 '낫다'는 문장에서 '나아, 나으니, 낫는' 등의 형태로 쓰여요. ②의 뜻을 가진 '낫다'는 문장에서 '나아, 나으니' 등의 형태로 쓰여요.

3. [묻][다]
   ① 손에 물감이 [　][　].
   가루, 풀 등이 다른 물체에 붙어 흔적이 남게 되다.
   ② 화단에 거름을 [　][　].
   흙이나 다른 물건 속에 넣어 보이지 않게 쌓아 덮다.
   ③ 지나가는 사람에게 길을 [　][　].
   상대에게 설명을 요구하며 말하다.

   도움말▲ ③의 뜻을 가진 '묻다'는 ①, ②와는 달리, '물어, 물으니, 묻고' 등의 형태로 쓰여요. ①, ②의 뜻을 가진 '묻다'는 형태를 그대로 유지한 채 '묻어, 묻으니, 묻고' 등의 형태로 쓰여요.

3 사람을 가리키거나 부르는 말 선비

선비는 '예전에, 학문에 힘쓰면서 벼슬을 하지 않은 사람'을 뜻하는 말이에요. 요즘에는 품성이 얌전하기만 하고 현실에 어두운 사람을 비유할 때 쓰기도 해요.

주어진 낱말에 알맞은 뜻을 찾아 연결하세요.

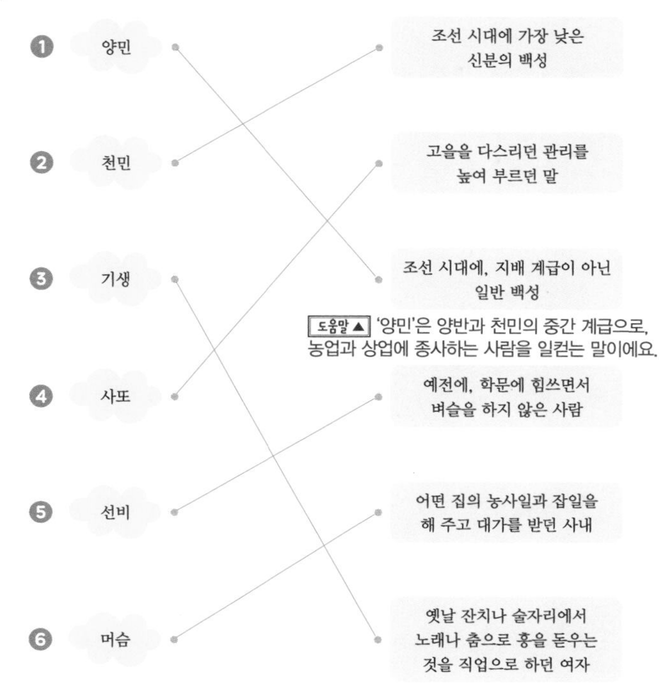

1 양민
2 천민
3 기생
4 사또
5 선비
6 머슴
조선 시대에 가장 낮은 신분의 백성
고을을 다스리던 관리를 높여 부르던 말
조선 시대에, 지배 계급이 아닌 일반 백성
예전에, 학문에 힘쓰면서 벼슬을 하지 않은 사람
어떤 집의 농사일과 잡일을 해 주고 대가를 받던 사내
옛날 잔치나 술자리에서 노래나 춤으로 흥을 돋우는 것을 직업으로 하던 여자

도움말▲ '양민'은 양반과 천민의 중간 계급으로, 농업과 상업에 종사하는 사람을 일컫는 말이에요.

4 띄어쓰기 듯하다, 만하다

'듯하다'는 앞말이 뜻하는 일이나 상태를 짐작하거나 추측하는 말로 앞말과 띄어 써야 해요. 이와 비슷한 특성을 가진 말로 '만하다'가 있어요.

비가 올 듯하다.　음식이 먹을 만하다.

다음 문장을 주어진 횟수에 따라 바르게 띄어 써 보세요.

도움말▲ 문제를 풀기 위해서는 기본적으로 낱말 단위로 띄어 쓴다는 점을 이해하고 있어야 해요.

1. 하늘을보니비가올듯하다.(4회)

하	늘	을		보	니		비	가		올		듯
하	다	.										

2. 긴장해서목이빠작빠작타는듯하다.(4회)

긴	장	해	서		목	이		바	짝	바	짝	
타	는		듯	하	다	.						

도움말▲ 모양을 흉내는 말 중에서 반복되는 낱말은 '바짝바짝'과 같이 붙여 써요.

3. 이책은너에게도움이될만하다.(5회)

이		책	은		너	에	게		도	움	이	
될		만	하	다	.							

*만하다: 어떤 것이 타당한 이유를 가질 정도로 가치가 있음.

4. 이것은세계에서손꼽힐만한문화재이다.(4회)

이	것	은		세	계	에	서		손	꼽	힐	
만	한		문	화	재	이	다	.				

5 뜻이 여러 가지인 말 곧다

하나의 낱말이 여러 가지의 뜻을 가지고 있는 경우가 있어요. 낱말이 문장에서 어떤 의미로 사용되었는지 정확하게 알아야 문장의 의미를 올바르게 이해할 수 있어요.

나무가 **곧다.** 굽지 않고 똑바르다.

성격이 **곧다.** 흔들림 없이 바르다.

밑줄 친 낱말의 알맞은 뜻을 찾아 번호를 써 보세요.

곧다 ① 굽거나 비뚤어지지 아니하고 똑바르다.
② 마음이나 뜻이 흔들림 없이 바르다.

도움말▲ ②의 뜻은 ①의 기본적인 뜻에서 변한 것임을 이해할 수 있어야 해요.

1. 허리를 곧게 펴고 바른 자세로 걸어야 한다. ⇨ ①
2. 이 산에는 곧게 뻗은 대나무들이 숲을 이루고 있다. ⇨ ①
3. 김 선생님은 성품이 곧아 많은 학생들의 존경을 받는다. ⇨ ②

엮다 ① 끈이나 실 따위의 가닥을 이리저리 묶어서 어떤 물건을 만들다.
② 여러 개의 물건을 끈이나 줄로 이어 묶다.
③ 자료를 모아 책을 만들다.

도움말▲ ②, ③의 뜻은 ①의 기본적인 뜻에서 변한 것임을 이해할 수 있어야 해요.

4. 나는 오색실을 엮어서 예쁜 실 팔찌를 만들었다. ⇨ ①
5. 할머니는 짚으로 엮은 굴비를 집으로 보내 주셨다. ⇨ ②
6. 그녀는 쌓아 둔 자료들을 모아 한 권의 책으로 엮었다. ⇨ ③

끌다 ① 바닥에 댄 채로 잡아당겨 움직이다.
② 바퀴 달린 것을 움직이게 하다.
③ 남의 관심 따위를 쏠리게 하다.
④ 시간이나 일을 늦추거나 미루다.

도움말▲ 그 밖에 '친구를 끌고 분식점에 갔다.'와 같이 '목적하는 곳으로 따라오게 하다.'의 의미도 있어요.

7. 견인차가 고장 난 차를 끌고 갔다. ⇨ ②
8. 의자를 끄는 소리가 너무 시끄럽다. ⇨ ①
9. 아버지는 회사에 자동차를 끌고 다니신다. ⇨ ②
10. 그는 뛰어난 노래 실력으로 인기를 끌었다. ⇨ ③
11. 동생은 신을 질질 끌고 다녀서 엄마에게 혼이 났다. ⇨ ①
12. 나는 어떤 일이든 시간을 끄는 것은 정말 싫어한다. ⇨ ④
13. 그 식당의 주인은 친절이 손님을 끄는 비결이라고 말했다. ⇨ ③

17일 월 일

6 자주 쓰는 말 피땀을 흘리다

'피땀을 흘리다'는 '온갖 정성을 다해 노력하다.'라는 뜻으로 온갖 노력을 피와 땀에 비유한 표현이에요. 이처럼 말하고자 하는 바를 구체적인 사물에 비유해서 말하면 뜻을 더욱 효과적으로 전달할 수 있어요.

나는 **피땀을 흘리며** 공부했다. 온갖 정성을 다해 노력하며

밑줄 친 말에 알맞은 뜻을 찾아 연결하세요.

도움말▲ 밑줄 친 말이 나타내는 구체적 모습을 떠올리며 그 뜻을 찾아보도록 해요.

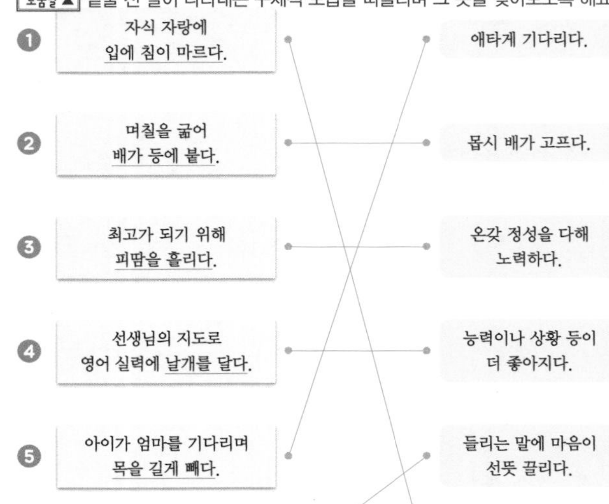
1 자식 자랑에 입에 침이 마르다.
2 며칠을 굶어 배가 등에 붙다.
3 최고가 되기 위해 피땀을 흘리다.
4 선생님의 지도로 영어 실력에 날개를 달다.
5 아이가 엄마를 기다리며 목을 길게 빼다.
6 남자친구가 있다는 누나의 말에 귀가 번쩍 뜨이다.
애타게 기다리다.
몹시 배가 고프다.
온갖 정성을 다해 노력하다.
능력이나 상황 등이 더 좋아지다.
들리는 말에 마음이 선뜻 끌리다.
무엇에 대해 거듭해서 말하다.

7 낱말 퀴즈

빈칸에 알맞은 낱말을 써서 문장을 완성해 보세요.

1. 태풍을 만난 배가 [침][몰] 위기에 몰렸다.
   배 따위가 물속으로 가라앉음.
2. 이웃한 두 나라가 활발히 [무][역]을 하고 있다.
   나라와 나라 사이에 서로 물품을 사고파는 일
3. 나는 아무 근거가 없는 [모][함]을 받게 되어 억울하다.
   나쁜 꾀를 부려 남을 어려운 처지에 빠뜨림.
4. 물에 빠진 나를 구해 주신 그분은 내 생명의 [은][인]이다.
   은혜를 베푼 사람
5. 나는 이순신 장군의 [위][인][전]을 읽고 큰 감동을 받았다.
   뛰어나고 훌륭한 사람의 업적과 삶을 적은 글이나 책

   도움말▲ '위인전'과 '전기문'은 비슷한 의미로 사용되지만, 의미상 약간의 차이가 있어요. '위인전'이 훌륭한 사람의 삶을 기록한 것이라면, '전기문'은 어떤 한 사람의 삶을 기록한 글이에요.
6. 이 씨 부부는 그 여자아이를 데려다가 [수][양][딸]로 삼았다.
   남의 자식을 데려다가 제 자식처럼 기른 딸

17일 월 일

8 바꿔 쓸 수 있는 말 1 내년

'내년'과 '이듬해'는 모두 '올해의 바로 다음 해'를 나타내는 말이에요. 이처럼 같은 시간을 나타내는 표현이 여러 개 있을 수 있어요.

형이 [내년 / 이듬해]에 졸업을 한다.
바꿔 쓸 수 있음.

밑줄 친 낱말과 바꿔 쓸 수 있는 낱말을 [보기]에서 찾아 써 보세요.

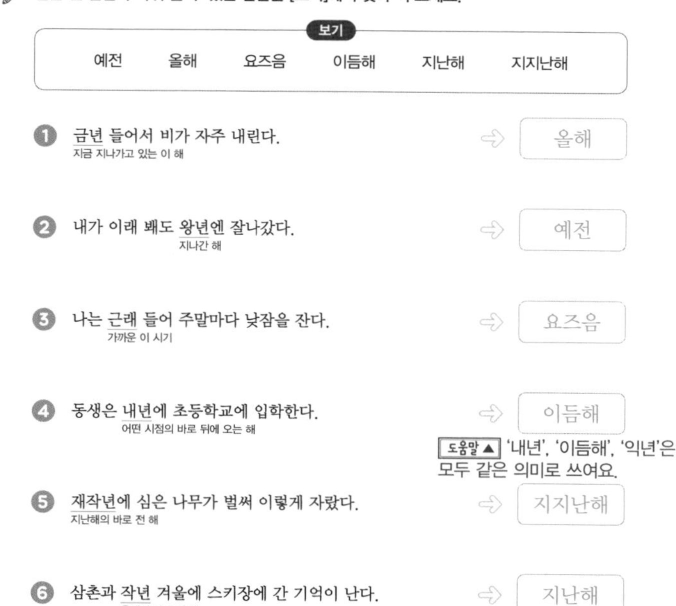

보기

예전 올해 요즈음 이듬해 지난해 지지난해

1. 금년 들어서 비가 자주 내린다. ⇨ 올해
   지금 지나가고 있는 이 해
2. 내가 이래 봬도 왕년엔 잘나갔다. ⇨ 예전
   지나간 해
3. 나는 근래 들어 주말마다 낮잠을 잔다. ⇨ 요즈음
   가까운 이 시기
4. 동생은 내년에 초등학교에 입학한다. ⇨ 이듬해
   어떤 시점의 바로 뒤에 오는 해
   도움말▲ '내년', '이듬해', '익년'은 모두 같은 의미로 쓰여요.
5. 재작년에 심은 나무가 벌써 이렇게 자랐다. ⇨ 지지난해
   지난해의 바로 전 해
6. 삼촌과 작년 겨울에 스키장에 간 기억이 난다. ⇨ 지난해
   올해의 바로 전 해

9 바꿔 쓸 수 있는 말 2 거래하다

'거래하다'라는 말은 '사고팔다'라는 말과 바꿔 쓸 수 있어요. 이외에도 '매매하다', '흥정하다'라는 말도 비슷한 의미를 가지고 있어요.

가게에서 물건을 [거래하다 / 사고팔다].
바꿔 쓸 수 있음.

밑줄 친 낱말과 바꿔 쓸 수 있는 낱말을 [보기]에서 찾아 써 보세요.

보기

공부하다 벗어나다 사고팔다 수수하다 이해하다 해박하다

1. 큰형은 책을 많이 읽어서 박식하다. ⇨ 해박하다
   지식이 넓고 아는 것이 많다.
2. 그녀는 돈이 많은데도 매우 검소하다. ⇨ 수수하다
   사치스럽거나 화려하지 않고 평범하다.
3. 글을 읽고 글의 중심 내용을 파악하다. ⇨ 이해하다
   어떤 일 따위를 확실하게 알다.
4. 인터넷 강의를 통해 외국어를 학습하다. ⇨ 공부하다
   배워서 익히다.
5. 마침내 우리나라가 일본으로부터 해방되다. ⇨ 벗어나다
   억눌림에서 빠져나오다.
6. 시장에서 사람들이 다양한 물건을 거래하다. ⇨ 사고팔다
   물건을 팔고 사다.
   도움말▲ '사고팔다'는 하나의 낱말이에요. 붙여 써야 해요.

10 타교과 어휘 과학

빈칸에 알맞은 낱말을 써서 문장을 완성해 보세요.

1. 유리는 투명하고 쉽게 깨지는 [성][질]이 있다.
   사물이나 현상이 가지고 있는 고유한 특성
2. 카멜레온은 환경의 [변][화]에 따라 몸빛깔을 바꾼다.
   사물의 성질, 모양, 상태가 바뀌어 달라짐.
3. 빛 앞에서 손가락을 움직여 [그][림][자] 놀이를 했다.
   물체가 빛을 가려서 그 물체의 뒷면에 생기는 검은 그늘
4. 집에서 영화를 보기 위해 거실에 [스][크][린]을 설치했다.
   그림자를 잘 보이도록 설치하는 흰색 막
   도움말▲ '스크린'은 '영화'라는 의미로도 쓰여요. '화면'으로 순화해서 사용하는 것이 좋아요.
5. 선수는 숨을 멈추고 [과][녁][판]을 향해 화살을 당겼다.
   활이나 총 등을 쏠 때 표적으로 사용하는 판
6. 새 신발을 신고 신발이 잘 어울리는지 [거][울]에 비춰 보았다.
   빛의 반사를 이용하여 물체의 모양을 비추어 보는 물건

7. 투명한 [아][크][릴][판]은 빛이 잘 통과한다.
   유리처럼 뒤에 있는 물체가 잘 보이며 단단한 판

8. 이 자동차에는 장애물을 [탐][지]하는 센서가 달려 있다.
   드러나지 않은 사실이나 물건 따위를 더듬어 찾아 알아냄.
9. 갑자기 정전이 되어서 집 안을 [손][전][등]으로 비추었다.
   가지고 다닐 수 있는 작은 전등
10. 어디선가 [폭][발][물]이 터지는 것처럼 큰 소리가 들렸다.
    불이 일어나며 갑작스럽게 터지는 성질이 있는 물질을 통틀어 이르는 말
11. 나는 운동 삼아 [승][강][기]를 이용하지 않고 계단으로 다닌다.
    동력을 사용하여 사람이나 화물을 아래위로 나르는 장치
    도움말▲ '승강기'는 '리프트', '엘리베이터' 등을 가리키는 말이라고 이해하면 돼요.
12. 이 유리는 [불][투][명] 유리라서 반대편이 또렷하게 보이지 않는다.
    어떤 물체를 통하여 볼 때 그 반대쪽이 흐릿하게 보이는 성질

7장 독서 감상문을 써요

국어 교과서 216~247쪽

1 독서

책을 읽는 방법은 책을 읽는 상황이나 책을 읽는 목적 등에 따라 달라질 수 있어요. 때에 따라 알맞은 읽기 방법을 사용하면 책을 보다 효과적으로 읽을 수 있어요.

빈칸에 알맞은 낱말을 [보기]에서 찾아 써 보세요.

보기: 낭독 다독 속독 정독 통독

1. 발표 시간에 직접 쓴 시를 [낭독]했다.
   소리 내어 읽음.
2. 작가가 꿈인 민주는 [다독]을 생활화하고 있다.
   책을 많이 읽음.
3. 아버지는 바쁘셔서 [속독]으로 신문을 읽으셨다.
   빠른 속도로 읽음.
4. 나는 그 책의 내용이 어려워서 천천히 [정독]을 했다.
   꼼꼼하고 자세하게 읽음.
   도움말▲ '정독'은 주로 학습을 할 때 사용하는 방법이에요.
5. [통독]을 하면 글의 전체 줄거리를 빠르게 이해할 수 있다.
   처음부터 끝까지 훑어 읽음.
   도움말▲ '통독'은 '훑어보기'라고도 하며, 시간이 날 때 신문이나 잡지 등을 넘겨 볼 때 사용하는 방법이에요.

2 주제별 어휘 비행기

'비행기'는 '사람이나 물건을 싣고 하늘을 날아다니는 탈것'을 말해요. 사람들은 비행기를 이용해 물건을 나르거나 먼 곳으로 여행을 가요.

다음 설명에 알맞은 낱말을 그림에서 찾아 써 보세요.

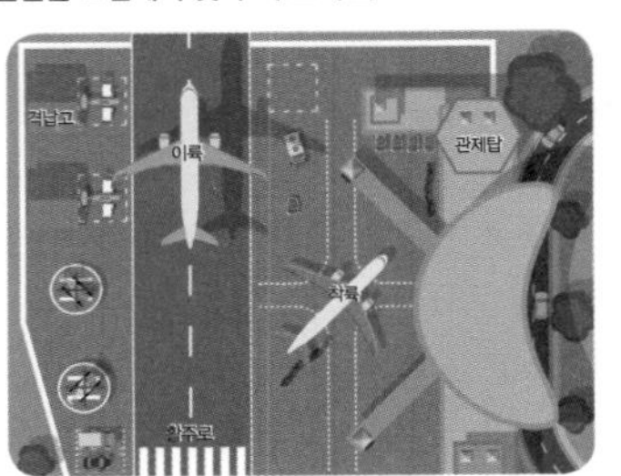

1. 비행기가 날기 위하여 땅에서 떠오름. ⇨ [이륙]
2. 비행기가 공중에서 땅이나 평평한 곳에 내림. ⇨ [착륙]
3. 비행기나 비행선을 넣어 두거나 정비하는 건물 ⇨ [격납고]
4. 비행장에서 비행기가 뜨거나 내릴 때 달리는 길 ⇨ [활주로]
5. 비행장에서 비행기가 뜨고 내리는 것을 관리하는 시설 ⇨ [관제탑]
   도움말▲ '관제탑'에서는 비행기의 이동 방향 지시, 비행장 내 차량의 통제, 긴급 상황에 소방 및 구급 차량 출동 요청 등의 업무도 맡고 있어요.

3 형태는 같은데 뜻이 다른 말 물가

'물이 있는 곳의 가장자리'를 뜻하는 '물가'와 '물건의 값'을 뜻하는 '물가'는 형태가 같지만 전혀 다른 낱말이에요.

빈칸에 공통으로 들어갈 낱말을 써 보세요.

1. [기][적]
   ① 기차가 [ ][ ]을 울리며 출발했다.
   기차나 배 따위의 경적 소리
   ② 그는 의식이 없다가 [ ][ ]처럼 깨어났다.
   상식으로는 생각할 수 없는 이상하고 놀라운 일
   도움말▲ 우리말은 한자어에서 온 말들이 많아요. 따라서 한글의 형태가 같더라도 한자가 달라 전혀 다른 낱말인 경우가 있다는 것을 이해하도록 해요.
2. [제][기]
   ① 아이들이 마당에서 [ ][ ]를 차며 놀고 있다.
   발로 차며 노는 한국의 전통적인 장난감
   ② 정성스레 만든 음식을 [ ][ ]에 담아 제사상에 올렸다.
   제사에 쓰는 그릇
3. [자][리]
   ① 내가 서 있는 [ ][ ]에 나비가 날아왔다.
   사람이나 물체가 차지하고 있는 공간
   ② 우리는 햇볕이 잘 드는 곳에 [ ][ ]를 깔았다.
   깔고 앉거나 눕기 위해 바닥에 까는 물건
4. [물][가]
   ① 우리는 [ ][ ]에서 물장구를 치고 놀았다.
   바다나 강 따위와 같이 물이 있는 곳의 가장자리
   ② 높은 [ ][ ]에 물건을 사기가 겁이 난다.
   물건의 값

4 모양을 흉내 내는 말 조롱조롱

'조롱조롱'은 '작은 열매 따위가 많이 매달려 있는 모양'을 나타내는 낱말이에요. 이와 같은 낱말들은 이야기를 실감 나게 표현하는 데 주로 쓰여요.

빈칸에 알맞은 낱말을 [보기]에서 찾아 써 보세요.

보기: 바들바들 안절부절 오도카니 옥신각신 조롱조롱 찔꺽찔꺽

1. 대추나무에 작은 열매들이 [조롱조롱] 매달려 있었다.
   작은 열매 따위가 많이 매달려 있는 모양
2. 지갑을 잃어버린 여자는 [안절부절] 어쩔 줄을 몰랐다.
   마음이 초조하고 불안하여 어찌할 바를 모르는 모양
3. 사람들이 서로 자기 말이 맞다고 [옥신각신] 떠들고 있다.
   서로 옳으니 그르니 하며 다투는 모양
4. 친구를 떠나보낸 그는 [오도카니] 바다만 바라보고 있었다.
   정신이 나간 듯 가만히 서 있거나 앉아 있는 모양
   도움말▲ '우두커니'라는 낱말도 있어요. '우두커니'와 '오도카니'는 모두 같은 의미의 낱말이에요.
5. 혹부리 영감은 도깨비를 보자 몸을 [바들바들] 떨기 시작했다.
   몸을 자꾸 작게 바르르 떠는 모양
6. 사내는 진흙투성이가 된 골목길을 [찔꺽찔꺽] 소리를 내며 걸었다.
   끈끈한 물질이 밟히거나 들러붙는 소리나 모양

5 잘못 쓰기 쉬운 말 아래층

우리말은 소리 나는 대로 쓰는 것이 원칙이지만, 소리만으로 구별이 어려운 경우 잘못 쓰기 쉬워요. 이러한 낱말들은 자주 보고, 따라 써 보면서 낱말의 형태를 잘 익혀 두어야 해요.

아래층으로 내려가다. (아랫층(×))

일이 너무 고되다. (고돼다(×))

밑줄 친 낱말을 알맞게 고쳐 써 보세요.

1. 산 윗쪽으로 올라갈수록 숨이 몹시 찼다. ⇨ 위쪽
2. 그는 나에게 할 말이 있다며 나즉이 속삭였다. ⇨ 나직이
   소리가 꽤 낮게
3. 새들은 숫컷이 암컷보다 아름다운 경우가 많다. ⇨ 수컷
   암수 구별이 있는 동물 중 새끼를 낳지 못하는 쪽
   도움말▲ '수컷'을 나타내는 말 '수-'는 발음상 혼란스러울 수 있으므로 '수-'로 적기로 정했어요. '숫소(×)'가 아닌 '수소', '숫사자(×)'가 아닌 '수사자'라고 적어야 해요.
4. 아침 일찍 일어나 하루 종일 부지런이 일을 했다. ⇨ 부지런히
5. 우리는 에스컬레이터를 타고 아랫층으로 내려갔다. ⇨ 아래층
6. 자고 일어나니 온몸이 땀으로 흥건이 젖어 있었다. ⇨ 흥건히
   물 따위가 고일 정도로 많이

다음 문장에 알맞은 낱말을 찾아 ○표 하세요.

1. 일이 너무 (**고되어** / 고돼어) 몸살이 났나 보다.
   하는 일이 괴롭고 힘들어
   도움말▲ '하는 일이 괴롭고 힘들다.'라는 뜻의 낱말은 '고되다'예요. 따라서 '고되-'에 '-어'가 붙어 '고되어'로 쓰여요.
2. 이 이야기에는 많은 사연이 (얼켜 / **얽혀**) 있다.
   무엇에 이리저리 관련이 되어
3. 귀신을 (좇기 / **쫓기**) 위해 집 앞에 팥죽을 뿌린다.
   떠나도록 몰아내기
   도움말▲ '좇다'와 '쫓다'는 다른 낱말이에요. '쫓다'가 '누군가를 잡거나 만나기 위해 따르다.' 또는 '내쫓다'의 의미라면, '좇다'는 '남의 말이나 뜻에 따르다.'라는 의미로 쓰여요.
4. 그는 혼자 (**청승맞게** / 청숭맞게) 도시락을 까먹었다.
   초라하고 가여워 보기에 좋지 않게
5. 풀잎마다 이슬방울이 조롱조롱 (**매달려** / 메달려) 있다.
   어떤 곳에 달려 있게 되어
6. 전학 온 지 하루밖에 안 되어서 반 친구들이 (낯설다 / **낯설다**).
   전에 보거나 만난 적이 없어 익숙하지 아니하다.

6 낱말 퀴즈

다음 낱말의 뜻이 바르게 되도록 알맞은 말을 찾아 ○표 하세요.

1. 작대기 ⇨ (**긴** / 짧은) 막대기
2. 저녁노을 ⇨ 해가 (뜰 때 / **질 때**)의 노을
3. 땟국물 ⇨ (일정하게 / **꾀죄죄하게**) 묻은 때
4. 이슬받이 ⇨ 양쪽에 이슬 맺힌 풀이 우거진 (**좁은** / 넓은) 길
5. 동지 ⇨ 일 년 중 밤이 가장 (**긴** / 짧은) 날로 24절기 중 하나
   도움말▲ '24절기'는 '음력에서 일 년을 스물넷으로 나눈 계절의 구분'을 말해요.
6. 음력 ⇨ (**달** / 태양)이 지구를 도는 시간을 기준으로 만든 달력
   도움말▲ 달력에는 달이 지구를 도는 시간을 기준으로 만든 '음력'과 지구가 태양을 도는 시간을 기준으로 만든 '양력'이 있어요.

빈칸에 알맞은 낱말을 주어진 글자 카드로 만들어 써 보세요.

빙 로 하 작 레 벌 신 애

1. 애 벌 레 가 꿈틀꿈틀 나무를 오른다.
   알에서 나와 다 자라지 않은 벌레
2. 차들이 신 작 로 를 따라 시원하게 달리고 있다.
   자동차가 다닐 수 있을 정도로 넓게 새로 낸 길
3. 지구의 기온이 높아지면서 북극의 빙 하 가 점점 녹고 있다.
   수천 년 동안 쌓인 눈이 얼음덩어리로 변한 것

봉 짓 당 예 짝 인 기 연

4. 마을 어른들이 봉 당 에 걸터앉아 이야기꽃을 피우신다.
   안방과 건넌방 사이에 마루를 놓지 아니하고 흙바닥 그대로 둔 곳
5. 두 잠자리가 작은 나무에 내려 앉아 짝 짓 기 를 마쳤다.
   동물이 새끼나 알을 낳기 위해 암컷과 수컷이 짝을 이루는 일
6. 새로 시작하는 방송 프로그램에 내가 좋아하는 연 예 인 이 나온다.
   배우, 가수 등을 통틀어 이르는 말
   도움말▲ '연예'와 '연애'를 헷갈리는 경우가 많아요. '연애'는 '남녀가 사랑함.'을 뜻하는 말이므로, '연예'와는 다른 뜻의 낱말이에요.

7 방언 하르방

방언은 하나의 언어 안에서 특정 지역에 따라 다르게 사용하는 말로 '사투리'라고도 해요. '할배, 하르방, 할아버이' 따위는 모두 '할아버지'의 방언이에요.

할아버지 (표준어) – **할배 / 하르방 / 할아버이** (방언)

다음 지역에 알맞은 방언을 [보기]에서 찾아 써 보세요.

도움말 제주도에서 흔히 볼 수 있는 '돌하르방'은 '할아버지 석상'을 이르는 말이에요.

8 띄어쓰기 수, 지

'수'나 '지'와 같은 말은 의미가 형식적이어서 꼭 다른 말과 함께 써야 해요. 하지만 하나의 낱말로 인정되기 때문에 앞말과 띄어 쓰지요.

피아노를 칠 수 있다. 밥을 먹은 지 두 시간이 되었다.

다음 문장을 주어진 횟수에 따라 바르게 띄어 써 보세요.

1 아기를혼자두고갈수는없어요. (5회)

아	기	를		혼	자		두	고		갈		수
는		없	어	요	.							

2 이곳에다시돌아올수있을거야. (5회)

이	곳	에		다	시		돌	아	올		수	
있	을		거	야	.							

3 그를만난지꽤오래되었다. (5회)

그	를		만	난		지		꽤		오	래	
되	었	다	.									

도움말 시간을 나타내는 '지'는 앞말과 띄어 써야 하지만, '얼마나 부지런한지 두 명의 몫을 한다.'처럼 시간과 관련 없이 쓰일 때에는 앞말과 붙여 쓴다는 것을 이해할 수 있어야 해요.

4 강아지가집을나간지이틀이되었다. (5회)

강	아	지	가		집	을		나	간		지	
이	틀	이		되	었	다	.					

9 타교과 어휘 도덕

밑줄 친 낱말에 알맞은 뜻을 찾아 연결하세요.

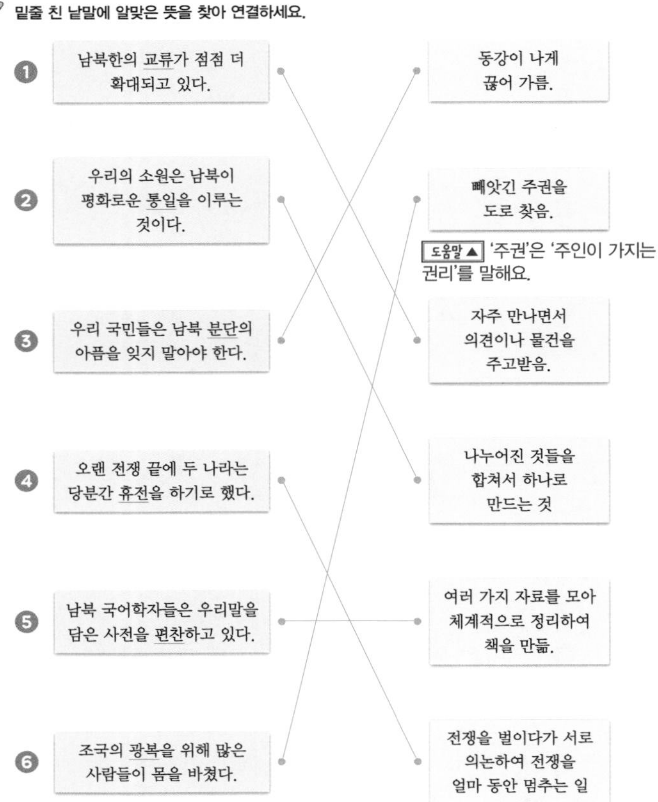

1 남북한의 교류가 점점 더 확대되고 있다.
2 우리의 소원은 남북이 평화로운 통일을 이루는 것이다.
3 우리 국민들은 남북 분단의 아픔을 잊지 말아야 한다.
4 오랜 전쟁 끝에 두 나라는 당분간 휴전을 하기로 했다.
5 남북 국어학자들은 우리말을 담은 사전을 편찬하고 있다.
6 조국의 광복을 위해 많은 사람들이 몸을 바쳤다.
동강이 나게 끊어 가름.
빼앗긴 주권을 도로 찾음.
도움말 '주권'은 '주인이 가지는 권리'를 말해요.
자주 만나면서 의견이나 물건을 주고받음.
나누어진 것들을 합쳐서 하나로 만드는 것
여러 가지 자료를 모아 체계적으로 정리하여 책을 만듦.
전쟁을 벌이다가 서로 의논하여 전쟁을 얼마 동안 멈추는 일

빈칸에 알맞은 낱말을 써서 문장을 완성해 보세요.

1 우리는 모두 평 등 하게 태어났다.
권리, 의무, 자격 등이 차별 없이 고르고 한결같음.

2 우리나라의 건국 이념은 홍 익 인 간 이다.
널리 인간을 이롭게 함.
도움말 '홍익인간'은 단군 할아버지가 나라를 세울 때 가졌던 생각이에요.

3 나는 친구와 화해할 방법을 부모님과 의 논 하였다.
어떤 일에 대하여 서로 의견을 주고받음.

4 해외에 사는 많은 동 포 들이 고국을 그리워하고 있다.
같은 나라 또는 같은 민족의 사람
도움말 '고국'은 남의 나라에 있는 사람이 자신의 조상 때부터 살던 나라를 이르는 말이에요.

5 아무리 좋은 법이라 하더라도 인 권 에 우선할 수는 없다.
인간으로서 당연히 가지는 기본적 권리
도움말 헌법에서 정해 놓은 '인권'으로는 '자유권', '평등권', '참정권', '행복 추구권' 등이 있어요.

6 피부색이 다르거나 문화가 다르다고 친구를 차 별 하면 안 된다.
옳지 않게 남보다 낮은 대우를 함.

8장 생각하며 읽어요

국어 교과서 248~275쪽

1 바꿔 쓸 수 있는 말 꾸다

'꾸다'는 '나중에 갚기로 하고 남의 것을 얼마 동안 빌려 쓰다.'라는 뜻으로 '빌리다'와 바꿔 쓸 수 있어요.

돈을 [꾸다 / 빌리다].
바꿔 쓸 수 있음.

밑줄 친 낱말과 바꿔 쓸 수 있는 낱말을 [보기]에서 찾아 써 보세요.

보기
빌리다 삼가다 불쾌하다 적절하다 떨어뜨리다

① 손에 쥐고 있던 비누를 놓치다. ⇨ 떨어뜨리다

② 친구의 톡 쏘는 말투가 거슬리다. ⇨ 불쾌하다

③ 건강을 위해 기름진 음식을 절제하다. ⇨ 삼가다

도움말▲ '말이나 행동을 조심하다.'는 뜻의 낱말은 '삼가하다(×)'가 아니라 '삼가다'라고 써야 해요.

④ 쌀이 똑 떨어져 이웃집에서 곡식을 꾸다. ⇨ 빌리다

⑤ 그 영화는 온 가족이 함께 보기에 적합하다. ⇨ 적절하다

2 뜻을 더하는 말 부-, 불-

'부-'와 '불-'은 다른 말의 앞에 붙어서 '아님, 아니함, 어긋남'의 뜻을 더하는 말이에요. 'ㄷ, ㅈ'으로 시작하는 말 앞에서는 '부-'가 쓰이고 'ㄷ, ㅈ' 이외의 자음으로 시작하는 말 앞에서는 '불-'이 쓰여요.

'ㄷ, ㅈ'의 자음이 올 때 **부주의**

'ㄷ, ㅈ' 외의 자음이 올 때 **불행**

도움말▲ '부-, 불-'과 비슷한 의미의 한자어로 '비-'가 있어요. '부-, 불-'이 붙을 수 있는 낱말과 '비-'가 붙는 낱말은 정해져 있다는 것을 기억하도록 해요.

빈칸에 알맞은 낱말을 써서 문장을 완성해 보세요.

① 교통사고로 인해 뜻밖의  불 행 이 찾아왔다.
행복하지 아니함.

② 성민이는 혀가 짧아 발음이 부 정 확 하다.
바르지 아니하거나 확실하지 하니함.

③ 팔을 다치는 바람에 움직임이 부 자 유 스럽다.
몸과 마음을 마음대로 움직일 수 없음.

④ 다리를 꼬는 습관은 몸을 불 균 형 하게 만든다.
어느 편으로 치우쳐 고르지 아니함.

⑤ 사소한 부 주 의 가 큰 사고를 불러일으킬 수 있다.
조심을 하지 아니함.

⑥ 지금은 나에게 자전거가 불 필 요 해서 동생에게 빌려주었다.
필요하지 않음.

3 자주 쓰는 말 1 날개를 달다

'날개를 달다'는 원래는 '날개를 일정한 곳에 매어 놓다.'라는 뜻이지만 '능력이나 상황 따위가 더 좋아지다.'라는 새로운 뜻으로도 쓰여요.

피아노 실력에 날개를 달다.
능력이 더 좋아지다.

빈칸에 알맞은 낱말을 [보기]에서 찾아 써 보세요.

보기
달다 차다 치다

① 동생이 말끝마다 토를 달다.
어떤 말 끝에 그 말에 대하여 덧붙여 말하다.

② 아이의 버릇없는 행동에 혀를 차다.
마음에 들지 않은 뜻을 나타내다.

도움말▲ '목에 거미줄 치다'는 말은 '입에 거미줄 치다'는 말로도 쓰여요.

③ 장사가 너무 안 되어 목에 거미줄 치다.
가난하여 아무것도 먹지 못하는 처지가 되다.

④ 말도 안 되는 친구의 거짓말에 기가 차다.
하도 어이가 없어 말이 나오지 않다.

⑤ 엄마가 방을 어질러 놓은 동생에게 호통을 치다.
크게 꾸짖고 주의를 주다.

⑥ 외국인 친구가 생기더니 영어 실력에 날개를 달다.
능력이나 상황 따위가 더 좋아지다.

4 자주 쓰는 말 2 물과 기름이다

'물과 기름이다'는 '한데 어울리지 못하여 겉도는 상태이다.'라는 뜻을 나타내는데, 이는 물과 기름이 서로 잘 섞이지 않는 성질과 관련이 있어요.

다음 말에 알맞은 뜻을 찾아 연결하세요.

① 물로 보다 — 사람을 하찮게 보거나 쉽게 생각하다.

② 물 쓰듯 하다 — 물건을 헤프게 쓰거나 낭비하다.

③ 물 찬 제비 — 동작이 빠르고 깔끔하여 보기 좋은 행동을 하다.

④ 물과 기름이다 — 한데 어울리지 못하여 겉도는 상태이다.

⑤ 물 건너가다 — 일의 상황이 끝나 어떠한 조치를 할 수 없다.

도움말▲ '물 건너가다'는 의미는 물(강)을 이미 건너서 돌아올 수 없다는 뜻에서 생겨난 말이에요.

5 뜻이 반대인 말 최소화/최대화

'최소화'는 '가장 적게 함.'이라는 뜻이고, '최대화'는 '가장 많게 함.'이라는 뜻이에요.

공간을 **최소화**하다. 가장 적게 함.	공간을 **최대화**하다. 가장 많게 함.

밑줄 친 낱말과 뜻이 반대인 낱말을 써 보세요.

1. 나 자신도 그 사실이 믿기지 않는다. (자신: 바로 그 사람) → 남 (내가 아닌 다른 사람)
2. 이 도서관은 휴일에도 개방을 한다. (개방: 자유롭게 들어가거나 이용할 수 있도록 열어 놓음.) → 폐쇄 (문이나 출입구 등을 드나들지 못하도록 막아 버림.)
3. 나는 부모님으로부터 구속을 받고 있다. (구속: 생각이나 행동의 자유를 제한하거나 속박함.) → 방임 (제멋대로 내버려 둠.)

   도움말▲ '구속'의 의미가 넓어지면서 '범인이 구속되다.'와 같이 법에 따라 일정한 장소에 가두는 일을 뜻하는 말로도 쓰이고 있어요.
4. 사람은 누구나 교육을 받을 권리가 있다. (권리: 무엇을 할 수 있는 자격이나 힘) → 의무 (마땅히 해야 할 일)
5. 숲이 파괴되는 것을 최소화해야 한다. (최소화: 가장 적게 함.) → 최대화 (가장 크게 함.)
6. 우리는 자율적으로 자리를 정하기로 했다. (자율적: 스스로의 원칙에 따라 자신의 행위를 통제하는 것) → 타율적 (정해진 규칙이나 다른 사람의 명령에 따라 행동하는 것)

6 표준어 고깔모자

우리는 말과 글을 통해 다른 사람과 생각과 의견을 나누어요. 원활한 의사소통을 위해서는 표준어를 사용하는 것이 중요해요.

밑줄 친 부분에 해당하는 표준어를 찾아 ○표 하세요.

1. 우리 집 강아지는 뼈의 낱개를 무척 좋아한다. → 뼈다구 / (뼈다귀)
2. 아이가 침대의 끝에 해당되는 부분에 걸터앉았다. → 가생이 / (가장자리)

   도움말▲ '가생이'는 '가장자리'를 뜻하는 사투리(방언)이다.

3. 종이로 위 끝이 뾰족하게 생긴 모자를 만들었다. → (고깔모자) / 꼬깔모자

4. 이 걸을 때에 짚는 막대기는 나무로 만든 것이다. → (지팡이) / 지팽이

7 한자어 관-, 편-

'관(觀)'은 '보다'라는 뜻이고, '편(偏)'은 '치우치다'라는 뜻이에요. 같은 한자가 들어가는 낱말들을 묶어서 공부하면 낱말을 이해하고 기억하는 데 도움이 돼요.

관(觀) '보다'의 뜻	**편(偏)** '치우치다'의 뜻

빈칸에 알맞은 낱말을 [보기]에서 찾아 써 보세요.

보기: 관람 관점 관찰 편식 편애 편두통

도움말▲ '관-'은 '보다'라는 의미가, '편-'은 '치우치다'라는 의미가 포함되어 있다는 것을 생각하며 익히면 낱말을 기억하는 데 도움이 돼요.

1. 보는 [관점]에 따라 같은 사물도 다르게 보인다. (관점: 사물을 바라보고 생각하는 태도나 방향)
2. 형은 야구 경기를 [관람]하느라 정신이 하나도 없었다. (관람: 연극, 운동 경기 등을 구경함.)
3. 친구들과 함께 땅 위를 지나는 개미의 움직임을 [관찰]했다. (관찰: 사물이나 현상을 주의해서 자세히 살펴봄.)
4. 남동생에 대한 부모님의 [편애] 때문에 그는 버릇이 나빠졌다. (편애: 어느 한 사람이나 한쪽만을 치우치게 사랑함.)
5. 언니는 [편두통]이 심한지 한쪽 머리가 깨질 듯이 아프다고 했다. (편두통: 머리 한쪽이 아픈 증세)
6. 건강을 위해서는 [편식]을 하지 말고 음식을 골고루 먹어야 한다. (편식: 좋아하는 음식만 가려서 먹음.)

8 주제별 어휘 문화재

옛 조상들이 남긴 것들 중에서 역사적으로나 문화적으로 가치가 높아 보호해야 할 것을 문화재라고 해요. 이러한 문화재가 언제, 어떻게, 왜 만들어졌는지를 살펴보면 조상들의 생활 모습을 알 수 있고 그들의 지혜를 배울 수 있어요.

빈칸에 알맞은 낱말을 [보기]에서 찾아 써 보세요.

보기: 대궐 보존 유물 훼손 고인돌 문화재

1. 불이 나서 [훼손]되었던 남대문이 복원되었다. (훼손: 헐거나 깨뜨려 못 쓰게 만듦.)
2. 그의 집은 으리으리하고 화려해서 [대궐] 같다. (대궐: 임금이 사는 큰 집)

   도움말▲ '대궐'과 '궁궐'과 뜻이 비슷한 낱말이에요.
3. 경주에는 신라의 [문화재]가 곳곳에 잘 보존되어 있다. (문화재: 역사적 문화 활동에 의해 창조된 가치가 뛰어난 사물)

   도움말▲ '문화재'는 보통 사물을 가리키지만, '인간문화재'라고 하여 특별한 문화적 기술을 가지고 있는 사람을 가리키는 말로도 쓰여요.
4. 전 세계 40% 이상의 [고인돌]은 한반도에서 발견된 것이다. (고인돌: 큰 돌을 받침대 삼아 그 위에 넓적한 돌을 올려 놓은 선사 시대의 무덤)
5. 이 절에서 발견된 불상은 박물관으로 옮겨져 [보존]되고 있다. (보존: 잘 보호하고 보관해서 남김.)
6. 서울 암사동과 경기도 연천에는 선사 시대의 [유물]이 전시되어 있다. (유물: 앞선 인류가 후손들에게 남긴 물건)

9 낱말 퀴즈

밑줄 친 부분의 글자 순서를 바르게 고쳐 써 보세요.

❶ 학교는 자라나는 아이들의 금자리보가 되어야 한다. ⇨ 보금자리

지내기에 매우 포근하고 편안한 곳을 비유적으로 이르는 말

도움말▲ '보금자리'는 '새가 알을 낳거나 깃들이는 곳'이라는 기본적인 의미를 가지고 있어요.

❷ 병원, 도서관과 같은 공장소공에서는 조용히 해야 한다. ⇨ 공공장소

여러 사람이 함께 이용하는 곳

❸ 나는 친구와 도서관 게실휴에서 이야기를 나누고 있었다. ⇨ 휴게실

잠깐 쉴 수 있도록 마련해 놓은 방

도움말▲ '휴게실'을 '휴계실(×)' 잘못 쓰지 않도록 주의해야 해요.

❹ 선생님께서 숙제를 학교 리누집 게시판에 올리라고 하셨다. ⇨ 누리집

인터넷 홈페이지의 우리말

❺ 준호는 역사에 관해 전가문 못지않은 지식을 갖추고 있다. ⇨ 전문가

많은 지식과 경험, 기술을 가지고 있는 사람

❻ 외무다나리에서 만난 그들은 서로 먼저 가겠다고 다퉜다. ⇨ 외나무다리

한 개의 통나무로 놓은 다리

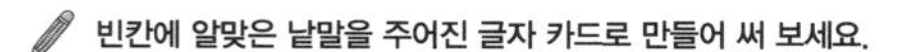

빈칸에 알맞은 낱말을 주어진 글자 카드로 만들어 써 보세요.

벌 련 목 동 훈 충

❶ 벌목 으로 산이 벌거숭이가 되어 버렸다.

산이나 숲에 있는 나무를 벰.

❷ 선수들이 경기를 앞두고 훈련 을 하고 있다.

기본자세나 동작 등을 되풀이하여 익힘.

❸ 예쁜 필기구를 보니 사고 싶은 충동 이 든다.

순간적으로 어떤 행동을 하고 싶다고 느끼는 마음

비 의 살 편 난 물

❹ 심판이 규칙을 잘못 적용해서 비난 을 받았다.

다른 사람의 허물이나 잘못을 나쁘게 말함.

❺ 아파트 단지 주변에 편의 시설이 잘 갖춰져 있다.

형편이나 조건 등이 편하고 좋음.

❻ 이 계곡은 물살 이 너무 빨라 물놀이를 하기가 어렵다.

물이 흐르는 힘이나 속도

10 타교과 어휘 사회

빈칸에 알맞은 낱말을 써서 문장을 완성해 보세요.

❶ 편 견 을 깨뜨리고 다양한 시각을 길러야 한다.

공정하지 못하고 한쪽으로 치우친 생각

❷ 우리와 다른 문 화 라도 이해하고 존중해 주어야 한다.

사람들이 가지고 있는 공통의 생활 방식

도움말▲ '문화'는 의식주를 비롯하여 언어, 풍습, 종교, 학문, 예술, 제도 등의 의미를 모두 아우르는 말로 쓰여요.

❸ 노 인 정 에 어르신들이 모여 즐거운 시간을 보내고 계신다.

노인들이 모여 쉴 수 있도록 마련해 놓은 정자나 집, 방 따위

❹ 다문화 가족이 사회에 잘 적응하도록 제 도 를 마련할 필요가 있다.

조직을 유지하고 일을 진행시키기 위해 정한 절차나 방법

도움말▲ '제도'는 결혼 제도, 입시 제도, 건강 보험 제도, 민주주의 제도 등과 같이 쓰여요.

❺ 정부는 도시와 농촌 사이의 임금 격 차 를 줄이려는 노력을 하고 있다.

임금, 기술 수준 따위가 서로 벌어져 다른 정도

❻ 인터넷을 사용할 때에는 개인 정보가 유 출 되지 않도록 주의해야 한다.

밖으로 흘러 나가거나 흘려 내보냄.

❼ 정 보 화 사회에서는 정보가 곧 재산이다.

사회에서 정보가 중요한 자원이 되어 중심 역할을 담당하는 것

❽ 다른 사람의 권리를 함부로 침 해 해서는 안 된다.

남의 땅이나 권리, 재산 등을 범하여 해를 끼침.

❾ 저 출 산 으로 인해 초등학교 입학생의 숫자가 줄어들고 있다.

태어나는 아이의 수가 줄어드는 현상

❿ 노인 인구가 늘어나면서 동네에 노인 요 양 원 이 많이 들어섰다.

환자들이 몸을 보살피고 병을 치료할 수 있도록 시설을 갖추어 놓은 기관

⓫ 요즘은 개, 고양이 등의 반 려 동 물 과 함께 사는 가정이 많다.

사람이 가까이 두고 기르며 친밀하게 여기는 동물

도움말▲ 사람과 같이 생활하는 동물을 사람에게 즐거움을 주기 위해 기르는 동물이라는 뜻으로 '애완동물'이라고도 불러요.

⓬ 나는 부모님이 맞 벌 이 를 하셔서 학교가 끝나면 언니와 시간을 보낸다.

부부가 모두 직업을 가지고 돈을 벌. 또는 그런 일

9장 감동을 나누며 읽어요

국어 교과서 276~299쪽

1 주제별 어휘 사물놀이

사물놀이는 풍년을 기원하거나 마을에 큰일이 있을 때 벌이던 우리 전통의 풍물놀이가 변형된 것이에요. '북, 징, 장구, 꽹과리'의 네 가지 악기로 연주한다 하여 사물놀이라고 부르지요.

도움말▲ '사물놀이'의 '사물'에서 '북'은 구름을 상징해요. '징'은 바람을, '장구'는 비를, '꽹과리'는 '천둥'을 상징한다고 해요.

다음 그림에 알맞은 낱말을 써 보세요.

① 

북

둥근 나무통 양쪽에 가죽을 대어 두드려서 소리를 내는 악기

② 

징

놋쇠로 큰 그릇처럼 만들어 채로 쳐서 소리를 내는 악기

③ 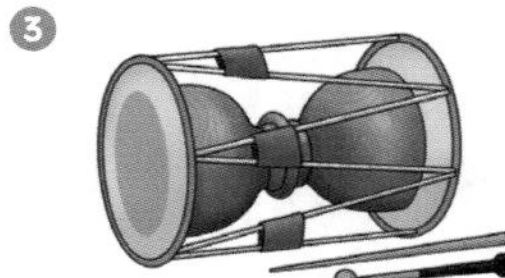

장구

가운데가 잘록한 나무통 양쪽에 가죽을 대어 두드려서 소리를 내는 악기

④ 

꽹과리

놋쇠로 작은 그릇처럼 만들어 채로 쳐서 소리를 내는 악기

2 잘못 쓰기 쉬운 말 안쓰럽다

'남의 처지나 형편이 가엾고 불쌍하다.'라는 뜻인 '안쓰럽다'는 '안스럽다'로 잘못 쓰는 경우가 많아요. 올바른 표현을 기억해 두세요.

어린아이가 안쓰럽다. 안스럽다(×)

다음 문장에 알맞은 낱말을 찾아 ○표 하세요.

① 그는 열심히 일해서 장가갈 (밑천 / 민천)을 장만하였다.
바탕이 되는 돈이나 물건, 재주 등을 이르는 말

② 그가 나를 감쪽같이 속이다니, 너무 (괘씸하다 / 괴씸하다).
말이나 행동이 못마땅하고 밉다.

③ 아침을 먹지 않고 학교에 왔더니 (몹씨 / 몹시) 배가 고프다.
더할 수 없이 심하게

④ 다음 과학 시간에는 각자 (넓적한 / 넙쩍한) 그릇을 준비해야 한다.
반듯하고 얇으면서 꽤 넓은

도움말▲ 만약 '넓적하다'를 '넙적하다(×)'로 쓰면, '넓다'는 의미를 나타내기 어려우므로, '넓-'을 살려 '넓적하다'로 적어요.

⑤ 어머니는 밤낮으로 일하는 아들이 (안쓰러웠다 / 안스러웠다).
남의 처지나 형편이 가엾고 불쌍했다.

⑥ 민수의 행동은 분위기를 즐겁게 만드는 데 (한몫 / 한목)을 톡톡히 했다.
한 사람이 맡은 역할

3 움직임을 나타내는 말 토라지다

'토라지다'는 '마음이 상해서 싹 돌아서다.'라는 뜻의 낱말이에요.

아무것도 아닌 일로 토라지다.
마음이 상해서 싹 돌아서다.

밑줄 친 말과 바꿔 쓸 수 있는 낱말을 [보기]에서 찾아 써 보세요.

보기: 헤매다 뒤엉키다 움켜쥐다 토라지다 발름거리다 버둥거리다

① 아기가 알밤을 손안에 꽉 잡고 놓지 않다. ⇨ 움켜쥐다

② 강아지의 코가 자꾸 넓어졌다 오므라졌다 하다. ⇨ 발름거리다

도움말▲ '발름거리다, 발름대다'와 '벌름거리다, 벌름대다'는 같은 의미로 쓰이는 낱말들이에요.

③ 동생이 사소한 일에 마음이 상해서 싹 돌아서다. ⇨ 토라지다

④ 처음 가는 곳이라 갈 곳을 모르고 이리저리 돌아다니다. ⇨ 헤매다

⑤ 머릿속에서 여러 생각이 마구 섞여서 한 덩어리가 되다. ⇨ 뒤엉키다

⑥ 당나귀가 자빠진 채 팔다리를 내저으며 계속 움직이다. ⇨ 버둥거리다

4 모양을 흉내 내는 말 꼬깃꼬깃

'꼬깃꼬깃'은 '구김살이 생기게 자꾸 함부로 구기는 모양'을 뜻하는 말이에요. '고깃고깃'과 비슷하지만 보다 센 느낌을 주는 낱말이에요.

꼬깃꼬깃 접은 돈
막 구겨진 모양

빈칸에 알맞은 낱말을 [보기]에서 찾아 써 보세요.

보기: 꼬깃꼬깃 그렁그렁 덩실덩실 모락모락 후끈후끈

① 금방 쪄 낸 노란 옥수수에서 김이 모락모락 난다.
연기나 냄새 등이 조금씩 계속 피어오르는 모양

② 노랫소리에 맞춰 동생과 나는 덩실덩실 춤을 추었다.
신이 나서 팔다리를 흥겹게 자꾸 놀리며 춤추는 모양

③ 나는 친구에게 핀잔을 듣고 얼굴이 후끈후끈 달아올랐다.
뜨거운 기운을 받아 갑자기 달아오르는 모양

④ 슬픈 영화를 보고 나서 민주의 눈에 눈물이 그렁그렁 맺혔다.
눈물이 눈에 넘칠 듯이 고여 있는 모양

⑤ 주머니를 뒤져 보니 꼬깃꼬깃 접힌 종이쪽지 한 장이 나왔다.
구김살이 생기게 자꾸 함부로 구기는 모양

도움말▲ '꼬깃꼬깃'과 '꾸깃꾸깃'은 비슷한 의미를 가진 낱말이에요.

5 띄어쓰기 뿐, 대로, 만큼

'뿐, 대로, 만큼'은 이름을 나타내는 말이나 수를 나타내는 말 뒤에서는 앞말과 붙여 쓰고 '-은, -는, -을, -던'과 같이 '-ㄴ, -ㄹ'로 끝나는 말 뒤에서는 앞말과 띄어 써요.

나만큼 너도 힘들겠다. (앞말과 붙여 써요.)

먹을 만큼 덜어서 드세요. (앞말과 띄어 써요.)

도움말▲ '뿐, 대로, 만큼'이 이름을 나타내는 말이나 수를 나타내는 말 뒤에 올 때에는 다른 낱말에 도움을 주는 역할을 하게 되므로 앞말과 붙여 쓰는 것이에요.

다음 문장을 주어진 횟수에 따라 바르게 띄어 써 보세요.

1. 너에게줄것은이것뿐이다.(3회)

너	에	게		줄		것	은		이	것	뿐	이
다	.											

2. 누구나노력한만큼대가를얻는다.(4회)

누	구	나		노	력	한		만	큼		대	가
를		얻	는	다	.							

3. 우리만큼친하게지내는사람이있을까?(4회)

우	리	만	큼		친	하	게		지	내	는	
사	람	이		있	을	까	?					

4. 그는얼마나굶었던지닥치는대로먹었다.(5회)

그	는		얼	마	나		굶	었	던	지		닥
치	는		대	로		먹	었	다	.			

6 헷갈리기 쉬운 말 때다/떼다

'때다'는 '난로, 아궁이에 불을 태우다.'라는 뜻의 낱말이고 '떼다'는 '붙어 있거나 이어져 있는 것을 떨어지게 하다.'라는 뜻의 낱말이에요.

난로에 불을 때다. (타게 하다.)

병에 붙은 스티커를 떼다. (떨어지게 하다.)

주어진 뜻을 참고하여 문장에 어울리는 낱말을 찾아 ○표 하세요.

때다	난로, 아궁이에 불을 태우다.
떼다	붙어 있거나 이어져 있는 것을 떨어지게 하다.

도움말▲ '불을 때다.', '종이를 떼다.'로 외워 두면, 기억하기 쉬워요.

1. 새 옷에 붙어 있는 상표를 (땠다 / **뗐다**).
2. 날씨가 추워져서 방에 불을 (**땠다** / 뗐다).
3. 대문에 붙어 있는 광고지를 모두 (땠다 / **뗐다**).

업다	등에 대고 손으로 붙잡거나 동여매어 붙어 있게 하다.
엎다	물건 따위를 거꾸로 돌려 위가 밑을 향하게 하다.

도움말▲ '아기를 업다.', '물건을 뒤집어엎다.'로 외워 두면, 기억하기 쉬워요.

4. 엄마는 동생을 (**업은** / 엎은) 채로 자장가를 부르셨다.
5. 사용한 컵을 깨끗이 씻어 선반 위에 (업어 / **엎어**) 놓았다.
6. 나는 색연필이 보이지 않아 서랍을 (업어서 / **엎어서**) 살펴보았다.

7 한자어 면-

한자어로 이루어진 우리말에는 '얼굴'을 뜻하는 '면-'으로 시작하는 말이 많이 있어요. 비슷한 말들을 함께 익혀 두면 기억하는 데 도움이 돼요.

면(面) '얼굴'의 뜻

빈칸에 알맞은 낱말을 [보기]에서 찾아 써 보세요.

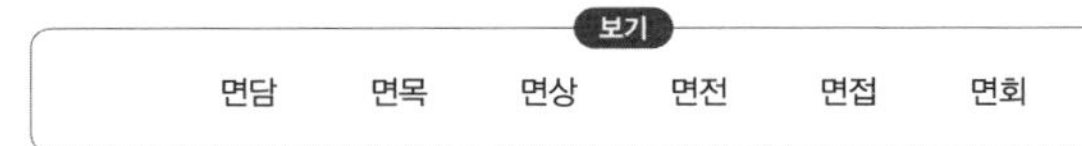

도움말▲ 얼굴과 관련된 낱말임을 생각하며 학습하면 기억하는 데 도움이 돼요.

1. 사촌 형은 내일 방송국에 [면접]을 보러 간다. (직접 만나 묻는 말에 대답하는 시험)
2. 그는 [면상]이 잘생겨서 친구들에게 인기가 많다. (얼굴의 생김새)
3. 오늘부터 하루에 한 명씩 선생님과 [면담]을 한다. (서로 만나서 이야기함.)
4. 내가 약속을 지키지 못해 그를 대할 [면목]이 없다. (남을 대할 체면)
5. 친구의 부탁을 [면전]에서 거절하는 것은 쉽지 않다. (보고 있는 앞)
6. 이 병원은 환자의 [면회]가 하루에 두 번만 가능하다. (어떤 기관이나 집단생활을 하는 곳에 찾아가 사람을 만나봄.)

8 뜻을 더하는 말 치-

'치-'는 다른 말의 앞에 붙어 '위로 향하게' 또는 '위로 올려'의 뜻을 더하는 말이에요. 이와 같은 뜻을 더하는 말들을 잘 사용하면 보다 섬세한 표현을 만들 수 있어요.

공을 머리로 받다. (머리나 뿔 따위로 세차게 부딪치다.)

공을 머리로 치받다. (아래에서 위쪽을 향하여 받다.)

도움말▲ 모든 낱말에 '치-'가 붙을 수 있는 것은 아니에요. 붙어 쓰이는 낱말이 정해져 있어요.

빈칸에 알맞은 낱말을 써서 문장을 완성해 보세요.

1. 화가 나서 눈을 [치][뜨][다]. (눈을 위쪽으로 뜨다.)
2. 날아오는 공을 머리로 [치][받][다]. (아래에서 위쪽을 향하여 받다.)
3. 글을 몇 번이나 내리읽고 [치][읽][다]. (밑에서 위쪽으로 글을 읽다.)
4. 불이 나자 검은 연기가 하늘로 [치][솟][다]. (위쪽으로 힘차게 솟다.)
5. 내리막길로 내려가려는 수레를 힘껏 [치][밀][다]. (아래에서 위로 힘차게 밀어 올리다.)
6. 사냥꾼에게 쫓기던 노루가 산등성이로 [치][닫][다]. (위쪽으로 달리거나 달려 올라가다.)

도움말▲ '닫다'는 '빨리 뛰어가다.'라는 의미를 가진 낱말이에요.

9 낱말 퀴즈

문장에 섞여 있는 글자 카드의 순서를 알맞게 하여 써 보세요.

1. 마른하늘에서 갑자기 [락][날][벼] 떨어지는 소리가 났다.
   느닷없이 치는 벼락
   ⇨ 날 벼 락

2. [천][후][악]로 인해 공항의 모든 비행기가 운항을 중단했다.
   몹시 나쁜 날씨
   ⇨ 악 천 후

3. 냇가에서 동네 [네][아][낙]들이 수다를 떨며 빨래를 하고 있다.
   남의 집 부녀자를 통속적으로 이르는 말
   ⇨ 아 낙 네

4. 산악 대원들은 [보][라][눈]가 몰아치는 상황 속에서도 정상을 향해 나아갔다.
   바람에 불리어 휘몰아쳐 날리는 눈
   ⇨ 눈 보 라

   도움말▲ '보라'는 '잘게 부스러지거나 한꺼번에 많이 가루처럼 흩어지는 눈이나 물 따위'를 가리키는 낱말이에요.

5. 아버지는 외출을 하실 때면 항상 [수][석][조]에 어머니를 태우고 함께 가신다.
   자동차 운전석 옆자리
   ⇨ 조 수 석

10 바꿔 쓸 수 있는 말 날짜 표현

날짜를 나타내는 말에는 한자어와 고유어가 있어요. 한자어 '십일'은 '열 날의 기간'을 뜻하는데 이는 고유어 '열흘'로 바꿔 쓸 수 있어요.

십일 동안 = **열흘** 동안

밑줄 친 낱말과 바꿔 쓸 수 있는 낱말을 써 보세요.

1. 사흘이 멀다 하고 들렀다. ⇨ 삼 일
   도움말▲ '사흘'이 '삼일'을 의미한다는 것을 아는 것도 중요하지만, '삼일'을 '사흘'로 바꿔 쓸 수 있어야 해요.
2. 일주일 중 닷새를 일하고 이틀은 쉰다. ⇨ 오 일
3. 여름휴가 중에 나흘을 시골에서 보냈다. ⇨ 사 일
4. 사귀는 남자가 여드레 동안 연락이 없다. ⇨ 팔 일
5. 그들은 열흘 후에 결혼식을 올릴 예정이다. ⇨ 십 일
6. 엿새 동안의 여행으로 그는 수염이 덥수룩하다. ⇨ 육 일
7. 이번 감기가 심해 무려 아흐레를 앓아누워 있었다. ⇨ 구 일

11 타교과 어휘 과학

빈칸에 알맞은 낱말을 써서 문장을 완성해 보세요.

1. 세탁을 너무 자주 하면 [섬][유]가 많이 상한다.
   가늘고 긴 실 모양의 물질
   도움말▲ 보통 실, 천, 옷 등의 원료가 되는 물질을 말하며, 동식물의 세포가 모여 이룬 질긴 조직을 가리키는 말로도 쓰여요.

2. [지][진]으로 땅이 흔들리고 건물의 벽이 무너졌다.
   땅이 끊어지면서 흔들리는 것

3. 폭발음과 함께 화산에서 용암이 [분][출]하기 시작했다.
   액체나 기체가 바깥으로 뿜어져 나옴.

4. [온][천]이 있는 지역은 관광지로 개발될 가능성이 높다.
   땅속의 열에 의해 데워진 따뜻한 물이 있는 곳

5. 지붕이 [방][수]가 제대로 되지 않아서 천장에서 빗물이 샌다.
   물이 새어 들어오는 것을 막음.

6. 바닥에 바른 [시][멘][트]가 완전히 마를 때까지는 밟으면 안 된다.
   물을 섞어 반죽하여 굳어지면 단단해지는 물질로 건물을 지을 때 사용함.

밑줄 친 낱말에 알맞은 뜻을 찾아 연결하세요.

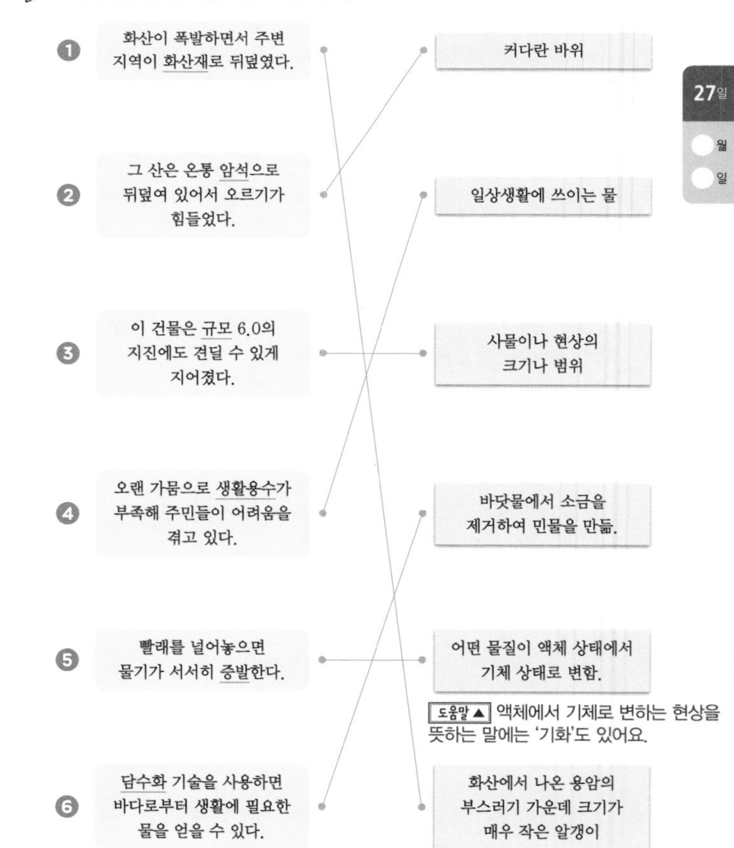

1 화산이 폭발하면서 주변 지역이 화산재로 뒤덮였다.
2 그 산은 온통 암석으로 뒤덮여 있어서 오르기가 힘들었다.
3 이 건물은 규모 6.0의 지진에도 견딜 수 있게 지어졌다.
4 오랜 가뭄으로 생활용수가 부족해 주민들이 어려움을 겪고 있다.
5 빨래를 널어놓으면 물기가 서서히 증발한다.
6 담수화 기술을 사용하면 바다로부터 생활에 필요한 물을 얻을 수 있다.
커다란 바위
일상생활에 쓰이는 물
사물이나 현상의 크기나 범위
바닷물에서 소금을 제거하여 민물을 만듦.
어떤 물질이 액체 상태에서 기체 상태로 변함.
도움말▲ 액체에서 기체로 변하는 현상을 뜻하는 말에는 '기화'도 있어요.
화산에서 나온 용암의 부스러기 가운데 크기가 매우 작은 알갱이

MEMO

MEMO

MEMO

MEMO